Guillaume Renaud

Périls en avril

Sonia Marmen

Guillaume Renaud
Périls en avril

roman historique

Tome 3

LES ÉDITIONS DE LA BAGNOLE
Collection **GAZOLINE**

Conception graphique et mise en pages : Folio infographie
Révision : Michel Therrien
Illustration : Stéphane Desmeules
Photo : Karine Patry

ISBN 978-2-923342-38-2
Dépôt légal 4ᵉ trimestre 2009
Bibliothèque et Archives nationales du Québec

Les Éditions de la Bagnole
Case postale 88090
Longueuil (Québec) J4H 4C8
leseditionsdelabagnole.com

Les Éditions de la Bagnole remercient de leur soutien financier le
Conseil des Arts du Canada et la Société de développement des
entreprises culturelles du Québec (SODEC).

Guillaume Renaud (tome 2)
Il faut sauver Giffard !

Résumé

Le 13 septembre 1759, alors que le jour est à peine levé et que l'armée française est sur les dents, Guillaume entraîne Émeline à une partie de pêche. Des coups de canon provenant du sud-ouest leur laissent d'abord croire qu'un navire apporte enfin des vivres de Montréal. En rentrant chez eux pour annoncer la bonne nouvelle, les deux amis rencontrent des centaines de vestes rouges, qui avancent en rangs serrés sur la plaine d'Abraham. Les Anglais sont là.

Le sort de Québec se joue en très peu de temps. Montcalm est blessé et l'armée française se replie. Un jeune officier apporte à Catherine une terrible nouvelle : son mari, Charles Giffard, a été fait prisonnier par l'ennemi et on craint qu'il ne soit déporté. Catherine, dévastée par la nouvelle, reste sur place dans l'espoir d'obtenir des nouvelles de Charles, et oblige Guillaume à quitter Québec avec Émeline Gauthier et sa famille. Or le jeune garçon, inquiet pour sa mère et le bébé qu'elle porte, forme le projet de retrouver son beau-père avec la collaboration de Marcel Laliberté, un homme courageux réputé n'avoir peur de rien, et qui aurait déjà aidé des prisonniers à s'échapper du campement ennemi.

La famille Gauthier s'installe à L'Ange-Gardien dans la maison d'un oncle. Guillaume reste éveillé toute la nuit dans le but de guetter le départ de Marcel, prévu à l'aube. Or il s'endort finalement, se réveille en panique, et tente de rattraper Marcel, sans trop savoir quel chemin il doit prendre. Émeline le suit, le supplie de rentrer, mais Guillaume refuse d'abandonner la mission qu'il s'est donnée.

Emporté par la rivière Montmorency, qu'il a tenté de traverser à gué, Guillaume est sorti *in extremis* du courant par une force mystérieuse. Une magistrale claque entre les omoplates le ramène à lui. Le vieil Amérindien Awasos et ses deux fils, des amis de Marcel, se sont trouvés là par hasard. Guillaume découvre qu'Awasos connaît aussi Charles Giffard, qui lui aurait autrefois sauvé la vie.

Le jeune garçon croit pouvoir atteindre la Jeune-Lorette et rattraper Marcel grâce à l'aide d'Awasos. Guillaume et Émeline sont contraints de se séparer. La jeune fille ne veut pas inquiéter davantage sa famille, et retourne à la maison.

La route est longue et les dangers sont nombreux dans la forêt. Des déserteurs anglais, des bêtes sauvages et des forces naturelles menacent et obligent au courage... Guillaume se livre avec confiance à Awasos, et lui raconte ce qui est arrivé à son véritable père, Michel Renaud. Le vieil Amérindien est stupéfait : il a en sa possession de minuscules sculptures d'oies sauvages, commandées il y a longtemps par Michel Renaud pour les offrir à son fils.

Dans le village wendat, où il est chaleureusement accueilli, Guillaume découvre une prison où est détenu, dans des conditions épouvantables, un prisonnier de guerre, un Écossais du nom de Simon Fraser. Une longue conversation avec l'homme permet à Guillaume d'apprendre, entre autres, que Charles Giffard est probablement déjà embarqué en tant que prisonnier sur un navire anglais. Guillaume, bouleversé par les souffrances de Fraser, accepte de lui détacher une main pour lui permettre de se gratter. Au petit matin, on découvre que le capitaine Fraser a pris la fuite. Guillaume est montré du doigt et malmené par un Sauvage. Il s'enfuit, dévasté par le chagrin, la honte et la déception. Le plan selon lequel il était probablement possible de pouvoir échanger Giffard contre Fraser devient impossible.

Dans sa course folle, Guillaume tombe nez à nez avec Marcel Laliberté et lui raconte tout. Il retourne avec l'aventurier au village wendat, et demande pardon pour son erreur. Puis c'est le moment pour Guillaume de retourner chez les Gauthier, morts d'inquiétude.

Pendant ce temps, le capitaine Fraser traverse la forêt et marche jusqu'aux portes de Québec, où le nouveau gouverneur, Murray, l'accueille avec soulagement. Fraser espère ne pas être arrivé trop tard pour exécuter son plan…

De retour à Québec auprès de sa mère, Guillaume est convoqué au couvent des Ursulines, qui sert désormais de quartiers aux Anglais. Il se retrouve face à face avec Fraser et ne se gêne pas pour lui exprimer sa colère ! Le capitaine ne se laisse pas démonter, il a une surprise pour Guillaume et il compte bien la lui livrer : il a libéré Charles Giffard de sa prison – il était effectivement tenu prisonnier sur un navire en partance pour l'Angleterre – et il est remis aux mains de sa famille !

Québec, Nouvelle-France, avril 1760

Québec et ses routes environnantes en 1760

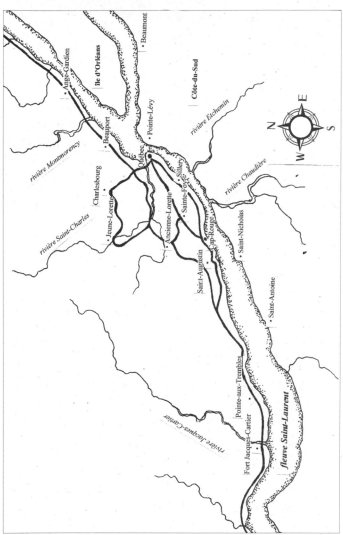

Chapitre 1

Le charmant flûtiste

Un vent froid de début d'avril siffle et transforme en glace la pluie qui cingle la vitre. Les coudes appuyés sur le rebord de la fenêtre, Guillaume observe à travers la mince pellicule de verglas le garde posté devant leur maison. Il s'est abrité sous le porche de l'habitation d'en face. Parce que le capitaine Charles Giffard est considéré comme un prisonnier de guerre, il est surveillé en permanence et le capitaine Simon Fraser doit rapporter tous ses faits et gestes au général Murray. Mais Charles ne sort guère.

L'obscurité s'installe. Il reste encore deux heures avant que sonne l'heure du couvre-feu. Un moment agréable que les Renaud-Giffard vont passer en compagnie de leurs voisins, les Gauthier, qu'ils ont invités pour la soirée. C'est leur arrivée que Guillaume attend. Le garde va être obligé de sortir de son abri et de s'aventurer sur la chaussée glacée pour demander aux visiteurs de s'identifier. Ce serait rigolo de le voir tomber sur les fesses. Les occasions de s'amuser sont rares. Comme celles de manger un bon repas.

Les arômes de l'oie rôtie qui continuent d'embaumer la maison le font encore saliver. La volaille était un cadeau du capitaine Fraser, qui l'avait achetée à prix fort à un fermier de la pointe Lévy. Sans cela, pour leur dîner de Pâques, les Renaud-Giffard se seraient contentés de l'habituel bouilli de légumes qu'agrémente leur maigre ration quotidienne de viande. Malheureusement, il ne reste plus rien de l'oie. Chacun a dévoré sa portion jusqu'à l'os. Jamais Guillaume n'a connu une disette aussi importante, même du temps où ils vivaient pauvrement, sa mère, sa sœur et lui, dans leur petit logement de la rue Saint-Pierre, dans la Basse-Ville. Il n'y a pas à dire, cet hiver a été le plus difficile que Guillaume ait traversé et, à cause de la présence d'un envahisseur dérangeant dans la maison, le plus bizarre qu'il ait vécu.

Les Anglais! Ils sont partout. Leur langue résonne dans les rues. Leur musique joue dans les tavernes. Leurs lois règlent le quotidien au quart de tour. On se lève au coup du canon qui sonne la diane[1] et on s'endort peu après celui qui annonce leur retraite. Les régiments restés en garnison pour l'hiver habitent les redoutes de Québec et les maisons à moitié en ruine du quartier Saint-Roch qu'ils ont réparées. Les officiers logent plus confortablement chez les citadins les plus fortunés ou occupent les belles maisons qu'ont abandonnées leurs propriétaires dans leur fuite vers les gouvernements de Trois-Rivières et Montréal[2].

Charles Giffard pense que la situation n'est que temporaire. Il est persuadé que le nouveau commandant en chef de l'armée française, le chevalier de Lévis, va bientôt venir les délivrer. Il affirme que Pierre de Rigaud de Vaudreuil, le gouverneur de Québec réfugié à Montréal depuis la reddition de Québec, recrute de nouvelles forces parmi les habitants. Il laisse même entendre que la nouvelle armée est plus grosse et plus puissante que celle que les Anglais ont laissée pour défendre

---

1. Le réveil des soldats.
2. À l'époque, le territoire de la Nouvelle-France était partagé en trois divisions administratives : Québec, Trois-Rivières et Montréal. Chacune de ces divisions était dirigée par un gouverneur. Le gouverneur de Québec avait la double tâche de gouverner son territoire et la colonie entière.

Québec. Cette information est un secret que Guillaume a entendu. Ses parents chuchotent toujours pendant de longues minutes, la nuit, quand ils croient les enfants endormis. Depuis le début des grands froids, pour économiser sur le bois, toute la petite famille dort dans la chambre des parents. Guillaume combat parfois le sommeil pour les écouter.

Guillaume lève les yeux vers le plafond. Il ne l'entend plus craquer. Le capitaine Fraser a cessé de faire les cent pas. Comme eux, l'Écossais a assisté à la messe de ce matin, célébrée dans la chapelle des Ursulines. Il est ensuite allé déjeuner avec des amis officiers au mess[3] organisé dans le séminaire des jésuites, qui sert maintenant de caserne. Les religieux, relégués comme les sœurs ursulines à une petite partie de leur établissement, ont suspendu jusqu'à nouvel ordre tous les cours au Collège, lourdement endommagé par les bombardements. Le capitaine Fraser n'est rentré du mess que vers la fin de l'après-midi. Il est monté directement à sa chambre. Il n'en est pas ressorti depuis. Guillaume se demande ce qu'il fabrique tout seul là-haut. Depuis la fin du mois de mars, Guillaume lui trouve

---

3. Un mess est une salle destinée au repas des officiers.

la mine plus triste. Il se dit qu'il doit beaucoup s'ennuyer de ses enfants et de sa femme restés en Écosse et qu'il n'a pas revus depuis deux ans.

Déjà perturbées par les nombreuses restrictions que leur imposent les nouveaux dirigeants, les habitudes de vie des Renaud-Giffard ont été doublement bousculées par la présence de Simon Fraser parmi eux. Par chance, Fraser est un homme courtois, discret et accommodant. Il s'adresse à eux en français, accepte de temps à autre de veiller au salon en leur compagnie. Mais il ne partage jamais leurs repas. Ne désirant pas s'immiscer dans l'intimité de la famille, il préfère manger seul dans sa chambre, s'il ne choisit pas de se rendre au mess apprécier la compagnie des autres officiers.

Une main se posant sur sa tête le tire de sa méditation. Sa mère lui caresse les cheveux et l'embrasse sur la joue. Parce qu'il sait que personne ne peut les voir, Guillaume en profite. Malgré qu'il adore sentir sa douceur, il aime de moins en moins qu'elle lui témoigne publiquement son affection. Surtout quand des hommes risquent de les apercevoir. Dans ces moments-là, il s'écarte un peu en grognant et redresse les épaules.

— Avec ce verglas, les soldats vont patrouiller les rues sur les fesses, commente Catherine.

Guillaume et elle rient ensemble. Ils se souviennent des deux soldats qu'ils ont vus le lendemain d'une tempête de verglas descendre sur le derrière la côte de la Montagne, pour finir dans une congère. Les soldats devraient, comme les Canadiens, se fabriquer des semelles à crampons[4].

Catherine cambre le dos et pose ses mains sur ses reins pour les soulager. Le ventre que n'arrivent plus à cacher ses vêtements jaillit. Le bébé signale sa présence d'un gentil coup de pied. Catherine caresse amoureusement son ventre. C'est un geste qu'elle fait souvent.

— Mon grand, est-ce que tu pourrais monter le bois de chauffage pour la nuit et débarrasser le capitaine Fraser de son plateau avant que les invités arrivent ?

Guillaume aime quand sa mère l'appelle son grand.

— Tout de suite, maman, qu'il répond en s'exécutant.

---

4. Les habitants de Québec fabriquaient des semelles à crampons avec des vieux clous piqués dans des bandes de cuir épais qu'ils fixaient sous leurs bottes quand les chemins étaient couverts de glace.

La corvée du bois lui revient. Tous les matins, Guillaume entre dans l'appentis juste ce qu'il faut de bûches pour chauffer la maison jusqu'au lendemain. Depuis l'automne, l'utilisation du combustible est sévèrement réglementée par le général Murray. L'hiver progressant, le bon bois de chauffage se raréfie. Les quelques réserves accumulées pendant l'été se sont rapidement épuisées. Le bois coupé pendant l'hiver n'a pas le temps de sécher convenablement et ne brûle pas bien. Guillaume partage également le bon et le mauvais bois dans un bac et se dépêche de monter son fardeau à l'étage. Il dépose la moitié des bûches dans la chambre où il dort avec sa famille. Le reste va servir à chauffer son ancienne chambre, qu'occupe maintenant le capitaine Fraser.

La porte est entrouverte. Guillaume glisse son regard intrigué dans la pièce avant de s'annoncer. Dans le halo de la chandelle, il aperçoit la silhouette de l'Écossais assis dans le fauteuil que Charles a fait déplacer du salon pour lui. Simon Fraser paraît somnoler. Guillaume ne veut pas le déranger, alors il pousse doucement la porte. Il a oublié qu'elle grince. Simon Fraser soulève la tête.

— 'Tis ? Uilleam, tha e thu[5] ?

Guillaume se change en statue de sel. Le capitaine le regarde l'air à la fois surpris et agacé. Guillaume voit la lettre sur ses genoux. Il remarque aussi que les yeux de l'Écossais sont brillants. Comme s'il avait pleuré.

— Capitaine Fraser, je m'excuse vraiment beaucoup, bredouille Guillaume, très mal à l'aise. J'apporte le bois et je viens ramasser la vaisselle.

Guillaume se rend compte qu'il est arrivé à un mauvais moment. Il dépose le bac et se hâte d'empiler les bûches à côté de la cheminée. L'Écossais se dépêche d'essuyer ses yeux avant de se lever pour rassembler la vaisselle sale sur le plateau.

— Tu diras à Françoise que l'oie était délicieuse. Les officiers du mess apprécieraient beaucoup goûter à sa cuisine. Je suis privilégié.

— Je lui transmettrai le compliment, dit Guillaume.

— Ma mère avait l'habitude de préparer un rôti d'agneau pour le dîner de Pâques.

Une pointe de tristesse perce la voix.

— Votre famille vous manque beaucoup ?

5. Qu'est-ce que c'est ? William, c'est toi ? (en gaélique).

— Les jours de fête nous rendent nostalgiques. Ils nous plongent dans nos souvenirs. Parfois ils sont heureux. Quelquefois ils le sont moins.

Guillaume jette un coup d'œil sur la lettre que le capitaine a laissée sur le siège. Elle doit venir de sa famille restée en Écosse. Le capitaine remarque l'objet de son attention.

— C'est de ma femme, Louise. Elle me dit que les garçons vont bien. William, mon plus vieux, réussit bien au collège. Il… il a onze ans aujourd'hui.

— Pourquoi n'êtes-vous pas venu manger avec nous ? C'est pas un peu triste de fêter Pâques tout seul ?

— Oh, je n'étais pas seul, mon ami ! fait Fraser. Ceux avec qui je partage ces moments de réjouissance sont ici.

L'Écossais tapote sa poitrine, là où bat son cœur. Ces moments de réjouissance ? Guillaume doute que le capitaine Fraser, qu'il a surpris la larme à l'œil, se réjouisse vraiment tout seul dans sa chambre. Au rez-de-chaussée retentit un remue-ménage soudain. Les voix de monsieur et madame Gauthier résonnent dans l'entrée. Guillaume entend aussi celles d'Émeline, de son grand frère Julien, de son petit frère, Pierre, et de Marie, la petite dernière des Gauthier. L'officier lui rend le plateau.

— Allez-vous vous joindre à nous ? demande Guillaume.

— Non, j'attends la visite de l'un de mes sous-officiers. J'ai une revanche à prendre aux échecs. Mon honneur est en jeu. Allez rejoindre vos amis, *a bhalaich*[6], et faites mes compliments à votre cuisinière.

* * *

La guimbarde[7], les cuillères de bois et le violon donnent le rythme à la soirée tandis que les talons et les cœurs battent joyeusement la cadence. Les visages sont rouges de l'essouf-flement et du plaisir qui leur fait momenta-nément oublier la présence des Anglais dans la ville de Québec. Prêt à entamer un nouvel air, Julien pose son archet sur les cordes de son violon. Il tape du pied. Un, deux trois… Son talon s'immobilise dans les airs avant de compter quatre.

— Ah ! s'exclame-t-il en fixant un point au fond de la pièce.

---

6. Mon garçon.
7. Au Québec, on nomme aussi cet instrument la bom-barde. Quoiqu'une véritable bombarde soit un instru-ment à vent traditionnel breton.

Les gens se tournent vers l'objet de son attention soudaine. Dans l'entrée se tient un garçon qui paraît du même âge que Guillaume. À la vue d'Angus Macpherson, la bonne humeur de Guillaume s'envole. Le jeune Écossais retire son béret et s'excuse maladroitement de son irruption. Il assure qu'il a frappé à trois reprises. C'est la musique qui était trop forte, explique Catherine. Elle lui trouve la mine plus terne que d'habitude et note sa maigreur et les cernes qui se sont creusés sous ses yeux.

— Mais entrez, entrez donc, Angus! s'écrie-t-elle en traduisant son invitation avec des gestes.

Le garçon s'exécute. De la poche de son vieux capot[8], il sort un message. C'est pour le capitaine Fraser.

— *Sargent Cameron willna come,* qu'il raconte. Pas pacabe venir.

— Pas «pacabe»! ricane Guillaume tout bas pendant qu'Angus monte livrer son message au capitaine.

— C'est pas très gentil de te moquer de lui comme ça, lui reproche tout bas Émeline, qui l'a entendu.

---

8. Le capot est un long manteau de laine muni d'un capuchon porté autrefois par les hommes.

— Ça fait cent fois que tu le corriges et il n'arrive pas encore à dire «capable» correctement.

— Et puis après? Qu'est-ce que ça peut faire? Il arrive à se faire comprendre, c'est ce qui compte, non?

Guillaume se renfrogne. Il croise les bras et ne dit plus rien. Quand Angus revient, il l'observe d'un air hautain.

— Comment se porte ton père? l'interroge Catherine.

— Père, pas bienne, répond Angus.

Le sourire qu'il essaie d'accrocher à son visage ne parvient pas à dissimuler sa tristesse.

— Je suis désolée, dit Catherine.

Le capitaine Fraser leur a raconté que le père d'Angus, un sergent de sa compagnie, était atteint du scorbut. Ce mal pernicieux décime les troupes anglaises, qui subissent aussi les effets néfastes de la disette. Affaiblis par le froid et la faim, manquant de denrées fraîches, comme les citadins, ils tombent malades. Depuis le début de l'hiver, au moins six cents soldats en sont morts, et encore plusieurs centaines en souffrent. Les hôpitaux des couvents des Ursulines et des Augustines ne désemplissent pas. Dans le malheur, Dieu ne favorise ni les pauvres ni les riches, ni les Anglais ni les Français. Des maladies affreuses comme la dysenterie et le typhus frappent sans distinction, cet hiver, plus cruellement que les précédents. Tout cela angoisse énormément Catherine, qui s'en fait pour ses deux enfants et celui à naître.

Mal à l'aise, Angus tripote son béret. Ne désirant pas les interrompre plus longtemps, il se dirige vers la sortie. Il connaît le chemin.

— Il peut rester avec nous? demande soudain Jeanne à sa mère.

— Pourquoi pas, s'il en a envie.

Par gêne, Angus hésite à accepter. Il vient souvent livrer des messages au capitaine Fraser. Les Giffard sont gentils avec lui. Madame Giffard lui offre parfois une tasse de tisane pour le réchauffer avant de ressortir dans le froid et Jeanne le bombarde de mille et une questions qu'il ne comprend pas toujours. C'est la première fois qu'ils l'invitent à se mêler à eux.

— Dis, Angus, tu vas nous jouer un air de ta flûte? demande Julien.

— Ouï! Oui! font vivement Émeline et Jeanne.

— Joue-nous un rile! s'écrie Jeanne.

— *'Tis said a reel*[9], Missy Jeanne, la reprend gentiment Angus.

— C'est ce que j'ai dit, un rrrrile, répète la fillette en imitant l'accent de l'Écossais.

Tout le monde pouffe de rire. Ce qui détend suffisamment Angus pour qu'il accepte de jouer pour eux. Transportées de joie, Jeanne, Émeline et Marie se précipitent pour l'aider à retirer le vieux capot bleu qu'une ursuline lui a procuré. Le manteau est rapiécé de retailles colorées qui lui donnent l'air d'un épouvantail à moineaux, mais il l'a tenu au chaud tout l'hiver. Sans lui, il aurait sans nul doute «attrapé la mort» comme disent les Canadiens. C'est la première fois, depuis qu'il est en Amérique, qu'il connaît un hiver si glacial. Le dernier passé dans l'État de New York a été nettement moins rude. Angus se dit que s'il avait offert le capot à son père, peut-être qu'il ne serait pas tombé malade.

Pour ne pas se laisser submerger par le sentiment de tristesse qui lui revient, Angus s'occupe à lisser son kilt effiloché. Il ajuste son plaid usé jusqu'à la trame de façon à camoufler la tache sur le devant de sa veste et frotte,

---

9. Musique rythmée d'origine écossaise et irlandaise.

pour faire briller un peu plus, la broche d'argent terni qui le retient sur son épaule gauche. Avec sa chevelure qui n'a pas connu le peigne depuis des jours, il est conscient de l'état misérable de sa tenue aux yeux de ces Canadiens biens pourvus qui portent de beaux vêtements taillés dans des étoffes de qualité. Mais cela ne le dérange pas vraiment. Il a appris à tirer certains avantages de sa pauvre condition. Il attire la compassion de charmantes demoiselles qui, en échange d'un joli air de flûte, lui offrent parfois quelque chose à manger ou une pièce de vêtement. Au plus froid de l'hiver, Émeline a eu pitié de lui et lui a donné une culotte trop petite pour Julien. Un cadeau grandement apprécié.

Se rendant compte qu'on attend de l'entendre jouer, Angus fouille dans son *sporran*[10] et en sort une flûte de métal qui brille comme de l'or dans la lueur des chandelles. Il en tire quelques notes. Tout le monde connaît le talent de musicien d'Angus Macpherson. C'est le fifre et le messager de la compagnie du capitaine Fraser et partout où il va porter un message, on l'entend jouer ses airs

---

10. Petit sac que portent les Écossais sur leur kilt, qui n'a pas de poches.

entraînants, ce qui lui attire parfois un regard approbateur de la part des Canadiens.

Angus entame le *reel*. Le frère aîné d'Émeline coince son violon entre son épaule et son menton pour l'accompagner. La musique qui remplit la cuisine des Renaud-Giffard incite à se lever et à danser. Émeline invite Guillaume.

— J'ai pas envie, marmonne Guillaume.

Elle ignore son air renfrogné et se tourne vers Françoise, plus enthousiaste. Monsieur et madame Gauthier se joignent bientôt à elles. Ravie, Jeanne observe le jeune Écossais. Elle le trouve beau. Il a les yeux aussi bleus qu'un ciel d'automne et en amande comme ceux du chat de madame Caron. Sa mère dit qu'il est un charmant jeune homme. Elle dit que le charme est une qualité du caractère aussi bien que de l'allure. Il bouge ses doigts avec tant d'agilité sur son instrument. Ses mains fascinent Jeanne. Surtout la gauche, zébrée d'horribles cicatrices roses et à laquelle il manque l'auriculaire. Elle a entendu le capitaine Fraser commenter la bravoure d'Angus quand le chirurgien le lui a coupé après qu'il se fut blessé avec une arme à feu. Il a eu de la chance. C'est toute sa main qu'il aurait pu perdre.

Après les dernières notes de musique, fusent les applaudissements. Catherine présente un gobelet de punch tiède à l'Écossais, qui l'accepte avec plaisir. Les arômes épicés de cannelle de la boisson le réconfortent.

— *'Tis good, tapadh leibh*[11] *!* qu'il dit.

Jeanne réclame un autre air. Angus vide son gobelet. Il essuie le bec de sa flûte sur la manche de sa chemise. Juste avant de poser ses lèvres dessus, Angus regarde Émeline. Miss Émeline, qu'il aime l'appeler. Assise à côté de Guillaume, elle lui sourit. Il entame pour elle une ballade qu'il a composée pendant ses temps libres.

Émeline soupire.

— Oh! Qu'il joue bien!

Quand il passe un moment avec son père à l'hôpital, Angus joue de la flûte pour lui, et les malades dans la salle cessent de se plaindre. Les religieuses l'ont surnommé leur « pinson du Paradis ». Elles disent que la musique est aussi un remède. Celui de l'âme. Parce qu'il transporte l'esprit loin de ce qui le rend triste. Les malades oublient ainsi leur mal et la faim. Ils oublient que la guerre n'est pas terminée. Et quand leur esprit ne pense

---

11. C'est bon, merci! (en anglais et en gaélique).

plus aux choses tristes, leur cœur est plus gai et leur corps guérit plus vite. Mais lorsque s'arrête la magie de la musique d'Angus, la maladie recommence à faire souffrir les malades, qui se remettent à gémir et à se plaindre.

La musique d'Angus rend aussi Émeline joyeuse. Guillaume l'observe du coin de l'œil. Elle est captivée et suit le rythme en se dandinant de gauche à droite. Il n'aime pas l'expression rêveuse qu'elle affiche.

— Bah! qu'il fait sur un ton nonchalant. C'est pas sorcier de jouer de la flûte.

— Comment tu le sais, Guillaume? Tu n'en joues même pas!

Angus joue sa dernière note.

— Je suis certain que je saurais jouer sans difficulté.

Les mots de Guillaume résonnent dans le silence. Tout le monde se tourne vers Guillaume.

— Tou joues *tin whistle*[12]? croit avoir compris Angus.

Il lui présente l'instrument.

— Euh... fait Guillaume en rougissant.

_____

12. Le *tin whistle* est une flûte droite traditionnelle irlandaise, apparentée au pipeau.

— Ça s'appelle un tine wissel? demande Jeanne, sauvant sans le savoir son frère de l'embarras.

Le garçon l'a ensorcelée. Tout ce qu'il dit avec son accent comique l'intéresse. Elle trouve seulement dommage qu'il ne parle pas aussi bien le français que le capitaine Fraser. Comme le lui a expliqué Émeline un jour, les Écossais ne sont pas vraiment des Anglais. Parce que leur pays a été conquis par le roi d'Angleterre il y a bien des années, ils sont presque obligés de se soumettre à lui et de se joindre à son armée.

— Oui, *tin whistle*. *Irish flute,* acquiesce Angus en lui dévoilant une rangée de dents brillantes.

Et puis, qu'elle se dit encore, avec un sourire aussi éclatant, il ne peut pas être vraiment méchant.

— Un *tin whistle* est une flûte irlandaise, traduit Charles Giffard.

— Pourquoi il joue pas de la flûte écossaise? veut savoir Marie.

La question fait rire. D'autres questions ne tardent pas à suivre. On s'intéresse soudain de plus près à la vie d'Angus.

— Tu as des frères et des sœurs?

— Frères? fait Angus en plissant le front pour saisir le sens du mot. *Ah! Bràthair*[13]*?* *Nay...* pas de frère. Et sœurs? *Aye! One sister.* Margaret. Elle reste en Écosse.

— Avec ta mère?

L'expression du garçon s'assombrit. Il secoue la tête pour dire non.

— *Màthair*[14] *is...* euh...

Il pointe un index vers le ciel et, mains jointes contre une joue, mime quelqu'un qui dort.

— Oh! Ta mère est morte, comprend madame Gauthier avec tristesse.

— Pauvre garçon, murmure Catherine, émue.

— Ah! Je sais ce que c'est que de perdre un parent, clame Françoise. Je suis moi-même orpheline des deux.

Émeline comprend que si le sergent meurt, Angus deviendra aussi orphelin.

— Tu as d'autre famille, en Écosse? l'interroge-t-elle. Tu dois bien avoir des tantes et des oncles qui vivent encore là-bas. Ta sœur, Margaret, qui s'en occupe?

Émeline parle trop vite. Angus ne saisit pas le sens de ses questions. Elle se reprend avec

---

13. Frère en gaélique. On le prononce « brâ-ir ».
14. Mère en gaélique. On le prononce « mâ-ir ».

les quelques notions d'anglais qu'elle a acquises à l'hôpital au cours des dernières semaines.

— *Macpherson family* en Écosse.

— *Macpherson family, aye!* entend enfin Angus. *Uncle Iain, Uncle Fergus and Uncle Sandy. Aunt Isobel and Aunt Mary... Lot's of cousins.* Pas gaupou... euh, beaucoup *food...* Manger? *Very poor.* Moi, souligne Angus en pointant son index sur sa poitrine, *in the army.* Dans *army*, moi mange pain tous jours. Moi... ça, âge, raconte-t-il en comptant le nombre treize avec les neuf doigts qui lui restent. *In one year...* Dans oune année, *will be a drummer in father's regiment...* Taratatam! qu'il ajoute en exécutant un roulement de tambour. *Will be a soldier like Dhaidi in three more...*

Charles Giffard traduit pour tout le monde que la famille d'Angus en Écosse est très nombreuse, mais très pauvre, et qu'il est dans l'armée pour gagner son pain. L'an prochain il sera tambour dans le régiment de son père et soldat dans trois ans. Émeline est consternée. Guillaume note combien elle regarde Angus avec pitié. Agacé, il se détourne et fait mine de gratter une tache de sauce qui a séché sur sa culotte. Il n'aime pas l'attention que porte Émeline au pauvre, mais talentueux fifre de la compagnie de Fraser. Mais, pas du tout!

Chapitre 2

Huit petits pains de froment

— Ouille! Aïe! Ouille! Ouille!

— Françoise! s'exclame Catherine en essayant d'attraper le bras de sa servante.

Il lui échappe et Françoise dégringole les marches couvertes de verglas jusque dans la rue. Le garde, qui a tout vu, se porte au secours de la malheureuse et tente de l'aider à se lever, mais un cri de douleur interrompt son geste. La jeune femme est blessée.

— Madame! Quel malheur! Je crois que je me suis cassé la cheville! C'est de ma faute, j'ai oublié de chausser les semelles à clous.

Guillaume et Jeanne, qui sont accourus en entendant les cris de Françoise, contemplent la désolante scène depuis le seuil de la porte d'entrée. En larmes, Françoise regarde sa cheville, puis le panier qu'elle transportait, tombé à la renverse sur la chaussée. Son contenu de petits pains dorés est éparpillé tout autour. Le capitaine Fraser, qui a aussi entendu les cris, se précipite hors de la maison. Il soulève la jeune femme et la transporte à l'intérieur.

— Ah! Madame! Je m'excuse! C'est de ma faute! Aïe! Ouille! Que ça fait mal!

Fraser remarque que Catherine ne l'a pas suivi à l'intérieur. Quand il revient dehors, il la trouve à quatre pattes en train de ramasser les petits pains avec le garde.

— Il y en avait huit! s'énerve-t-elle en scrutant la rue en tous sens. Il faut les récupérer tous les huit!

Le garde découvre le huitième petit pain caché au fond d'une crevasse de neige près du perron. Catherine le lui arrache presque des mains et le place sur les autres dans le panier avant de rentrer dans la maison, que les plaintes de Françoise remplissent. Le capitaine reste un instant perplexe avant de suivre ses pas.

Toute la maisonnée est rassemblée au salon. Pendant que Catherine examine la cheville de la jeune femme, Guillaume et Jeanne suivent les instructions de Charles et courent remplir un sceau de neige et quérir des serviettes pour envelopper la cheville de froid de façon à empêcher l'enflure.

— Je peux faire venir le chirurgien de... commence à suggérer Fraser.

— Non ! s'écrie Françoise. Pas de chirurgien ! Ça va ! Je n'ai plus mal… Voyez ? Aïe ! Enfin, c'est pas si pire…

Elle a horreur des docteurs et de tout leur attirail de couteaux et de scies. Charles se déplace avec sa canne jusqu'à elle. L'humidité et le froid ramènent sporadiquement des élancements dans sa blessure reçue sur la plaine d'Abraham. Ignorant les plaintes que pousse Françoise, il palpe doucement la cheville appuyée sur un tabouret.

— Ce n'est qu'une vilaine entorse, déclare-t-il. De la glace, du repos, et tout rentrera dans l'ordre d'ici quelques jours.

— Oh ! Merci, Monsieur ! Merci, merci !

— C'est le bon Dieu qu'il faut remercier, Françoise, dit Catherine.

— Oh, oui ! Merci, mon bon Dieu ! Merci, merci !

Constatant que sa présence n'est plus réclamée, le capitaine Fraser part superviser l'entraînement matinal de sa compagnie. Il ramasse le tricorne qu'il a laissé tomber dans l'escalier dans l'urgence de son élan et l'enfonce sur sa tête. Puis il souhaite une bonne… plutôt, une pas trop mauvaise journée à ses hôtes. Quand la porte se referme, Françoise lance un regard désespéré vers ses employeurs.

— Je suis désolée, s'afflige-t-elle encore. Les petits pains… je ne pourrai pas les livrer.

Quand Guillaume et Jeanne reviennent avec ce qu'on leur a demandé, un silence de veillée de mort[1] plane dans le salon.

— Je vais y aller, décrète Charles.

— Tu ne peux pas, Charles, murmure Catherine. Tu le sais, tu n'as pas le droit de sortir sans un sauf-conduit[2] écrit de la main du capitaine Fraser. Et on ne doit pas te voir en compagnie de gens que le général Murray t'a interdit de fréquenter.

— Le boucher Couture ne représente aucune menace pour les Anglais.

— Et il doit en rester ainsi, énonce-t-elle avec fermeté. C'est moi qui irai.

— Les chemins sont trop dangereux, s'oppose Charles.

— Si vous tombiez, Madame ? ajoute Françoise. Le bébé, vous y avez pensé ?

— Je peux y aller, moi, livrer les petits pains chez monsieur Couture, déclare fièrement Guillaume.

---

1. Avant l'existence des salons funéraires, les morts étaient veillés dans les maisons.

2. Un sauf-conduit est un document accordé par les autorités d'un gouvernement permettant au porteur une liberté de mouvement à l'intérieur de son territoire.

Il bombe le torse.

— C'est quand même rien que des petits pains ! souligne Guillaume.

* * *

— Hé ! Émeline ! Attends !

Les crampons mordent dans la glace. Guillaume veut rattraper son amie, qui se rend à l'hôpital. Elle s'arrête pour l'attendre.

— Tu vas où comme ça ? lui demande-t-elle en lorgnant le panier recouvert d'un linge qu'il porte à son bras.

— Ma mère m'a chargé d'une mission, explique Guillaume.

Il n'en dit pas plus, question d'affamer davantage la curiosité d'Émeline.

— Je peux savoir ce qu'il y a dans ton panier ?

— J'ai reçu l'ordre de ne laisser personne y toucher.

Guillaume répète mot pour mot les instructions de sa mère.

— Je n'ai pas besoin de toucher à rien, se vexe Émeline.

— Ce sont des petits pains, déclare Guillaume en riant.

— Bah ! fait Émeline, qui ne voit plus l'importance de la mission.

— Je pose un geste charitable, fait remarquer Guillaume en espérant redorer son blason aux yeux d'Émeline. C'est pour les Couture.

— Les Couture ? À mon avis, il y en a qui sont plus pauvres qu'eux dans Québec.

Elle hausse les épaules et reprend son chemin. Ils parcourent en silence la rue des Jardins[3] et débouchent sur la Grande Place, où un régiment effectue son entraînement quotidien. Quelques badauds observent les manœuvres à distance tandis que les ordres que crie l'officier se répercutent en écho sur les ruines des bâtiments qui les ceinturent. Guillaume et Émeline font comme eux, mais ne s'attardent guère longtemps, car un vent glacial qui vient du fleuve balaie les toitures et gifle leurs visages.

— Le père d'Angus ne va pas mieux, dit soudain Émeline.

Elle raconte comment l'état de santé du sergent Macpherson s'est détérioré ces derniers jours.

— Ce pauvre Angus. Il en est si chagriné, soupire-t-elle pleine de compassion. Le doc-

---

3. On a nommé ainsi cette rue parce qu'elle séparait autrefois les potagers des pères récollets et des Jésuites.

teur pense qu'il ne passera pas la semaine. Angus vient tous les jours pour lui tenir compagnie. Tu savais qu'il jouait du violon avant de perdre son petit doigt? C'est dommage qu'il ne puisse plus en jouer. Angus est si bon musicien…

Émeline continue de vanter les mérites d'Angus. Elle ne voit pas la moue d'irritation que fait Guillaume, car sa crémone[4] camoufle sa bouche.

— Heureusement qu'il n'a pas besoin de ses dix doigts pour jouer de sa flûte. Il a seulement commencé à apprendre à en jouer depuis un an. Il est très doué pour apprendre. C'est comme pour le français. En si peu de temps…

Dans ses mitaines, les poings de Guillaume se serrent.

— Il est très doué… pour chanter la pomme pourrie! dit-il méchamment sans qu'elle l'entende.

— Oh! Ça doit être vraiment affreux de se faire couper le petit doigt. C'est vraiment affreux!

Guillaume se rend à l'évidence, Émeline est tombée sous le charme de ce petit Écossais de

---

4. Nom donné au foulard de laine porté par les hommes. Celui des dames s'appelait un nuage.

misère. Qu'il se gèle donc les fesses sous sa jupette toute mangée par les mites !

— Oh, c'est vraiment affreux ! commente-t-il sur un ton moqueur qui, cette fois, n'échappe pas à la jeune fille.

Elle s'arrête de marcher et le dévisage avec un air offusqué.

— Comment peux-tu te moquer de cette façon de l'infirmité d'Angus alors que toi, t'as tous tes doigts ? C'est pas très chrétien. Tu devrais démontrer un peu de compassion envers les éprouvés, Guillaume Renaud.

— Les éprouvés ? Ben quoi ! Il n'est pas le seul à avoir un doigt coupé. Il y en a qui se font couper un bras ou une jambe. Parfois les deux, Émeline. Et alors ?

— Guillaume ! C'est pas parce que je te parle du malheur d'Angus que je banalise celui des autres.

Elle lui fait la tête et continue son chemin. Guillaume a noté que depuis quelque temps, Émeline est plus sérieuse et montre une pré-férence plus marquée pour les occupations des femmes. Elle se donne aussi des airs aga-çants de grande dame. Surtout en présence d'Angus. C'est justement l'un de ces airs qu'Émeline se donne lorsqu'ils s'arrêtent devant le portail de bois qui donne accès à la propriété des Augustines.

— Je trouve dommage que tu n'essaies pas d'être plus gentil avec Angus, lui dit-elle.

Guillaume fait une lippe qui montre son impatience. Il fait une si drôle de grimace qu'Émeline ne peut pas rester fâchée longtemps. Pour se moquer, elle l'imite en étirant la lèvre du bas et éclate de rire.

— C'est pas drôle! s'offusque Guillaume.

Il pince les lèvres, accentue son air buté et s'en va.

— Guillaume! le rappelle Émeline. C'était pour rire, ne te fâche pas pour ça!

— Ne te fâche pas pour ça! répète Guillaume en reprenant la voix haut perchée de la jeune fille. Va donc à l'hôpital soigner nos ennemis, qu'ils soient assez solides pour combattre l'armée qui va venir nous déliver, Émeline Gauthier! Dieu va te punir en te faisant attraper le scrobut.

— On dit le scorbut, le corrige-t-elle.

— Scrobut, scorbut, c'est du pareil au même. Ça fait tomber toutes les dents.

Émeline reste bouche bée.

— Ça c'est méchant, Guillaume Renaud! C'est cruel de me souhaiter une si horrible maladie!

Le cœur brisé par la méchanceté de son ami qu'elle ne comprend plus, elle le regarde s'éloigner.

— Mais qu'est-ce qui lui prend ? Il est si grognon ces derniers temps. Grognon et même si méchant qu'il mériterait rien que je ne lui adresse plus la parole pendant deux jours !

Elle se retient toutefois de lui souhaiter de tomber et de se casser le nez. Elle repense au mauvais caractère de son frère Julien, qui, depuis qu'il a trois poils sur le menton, rechigne sur tout et sur rien. Quand son père veut le corriger, sa mère prend sa défense et dit qu'il fait sa tête de nouveau jeune homme, que ça va lui passer avec l'âge. Peut-être que Guillaume commence aussi à faire sa tête de nouveau jeune homme. Il va falloir qu'elle note s'il a des poils sur le menton...

Guillaume avance d'un pas ferme. Il est en colère. Il veut passer sa frustration en donnant un coup de pied dans un crottin de cheval gelé. Les clous fichés dans les semelles s'ancrent dans la glace. Il perd l'équilibre. Le panier lui échappe et vole dans les airs...

Émeline remonte l'Allée de l'hôpital. De part et d'autre s'étendent les jardins de l'Hôtel-Dieu. L'odeur putride qui flotte dans la cour ramène graduellement ses préoccupations vers l'hôpital. Cette odeur, elle le sait, provient des corps ensevelis sous la neige, que le retour des temps plus doux dégèle. Les Anglais vont devoir bientôt penser à les enterrer convenablement.

Des soldats arrivent en sens inverse.

«*Good day, Miss!*» la salue l'un d'eux.

Émeline baisse les yeux quand elle rencontre des soldats, comme lui a montré sa mère, et elle se dépêche vers le monastère, qui remplit aussi depuis le mois de septembre la fonction de caserne pour l'armée anglaise. Au moment où elle atteint le monastère, la porte s'ouvre et un autre soldat lui présente le dos. Elle s'écarte pour le laisser passer. L'homme tient l'une des extrémités d'un brancard. De sous la couverture qui dissimule un corps, une main pend et ballotte mollement. L'odeur l'oblige à placer sa main sur son nez. Elle pense tout de suite au sergent Macpherson et à Angus. Sitôt que le passage se dégage, elle se précipite à l'intérieur.

* * *

Attiré par des rires, Guillaume tourne la tête. Des enfants qu'il n'avait pas remarqués sortent de sous un porche et s'approchent des petits pains semés autour de Guillaume. Il s'empresse de les rassembler et de les remettre dans son panier avant qu'ils puissent en toucher un seul. Les enfants ont l'air miséreux, mais Guillaume a été sévèrement averti. Émeline qualifierait sans aucun doute son comportement de « pas chrétien », mais il n'a pas le choix : TOUS les petits pains doivent être livrés chez le boucher, sans faute ! « Gare à toi si tu te laisses tenter d'y goûter ! » l'a mis en garde sa mère avant de lui confier le panier. C'est à croire que ces petits pains sont aussi précieux que des lingots d'or ! Françoise les a boulangés avec la farine de pur froment que leur donne le capitaine Fraser. Une fois par semaine, elle les échange contre une bonne pièce de viande. Parce que l'argent sonnant manque dans la colonie, procéder à des échanges de services ou troquer des vivres est devenu un usage courant. Françoise dit qu'il n'est pas juste que les officiers se réservent la meilleure farine alors que la majorité des habitants de Québec, comme les Couture, doivent depuis des mois se contenter d'une mauvaise farine de méteil[5] et d'orge à peine

---

5. Le méteil est un mélange de grains de seigle et de froment moulus ensemble. Le froment est le blé tendre employé pour la fabrication du pain blanc, que seuls les plus riches pouvaient utiliser.

tamisée, à laquelle on mélange parfois de la farine de gland de chêne.

Comme tous les habitants de la Basse-Ville qui ont perdu leur toit, les Couture aussi ont dû chercher refuge ailleurs pour passer l'hiver. Ils habitent maintenant chez la tante de Jacquelin. Monsieur Couture et ses fils ont temporairement réorganisé la boucherie dans un petit hangar au fond de la cour. Ils y vendent principalement de la viande de gibier, qu'ils chassent dans les bois ou qu'ils achètent aux Sauvages de la Jeune-Lorette.

Dans la cour, Jacquelin lance des pelletées de neige immaculée sur des flaques de sang écarlate. Joseph, le petit frère de Jacquelin, fabrique des pâtés de boue qu'il aligne sur un banc de bois. L'odeur du sang et de la viande fraîche soulève le cœur de Guillaume. Aujourd'hui sont suspendus à la potence les carcasses de deux porcs, d'un chevreuil, de trois castors, de cinq lièvres et d'un autre animal que Guillaume ne peut reconnaître. Intrigué, il s'en approche pour mieux l'identifier. On dirait le squelette d'un castor, mais avec des dents jaunes plus petites et une queue de rat.

— C'est une marmotte, l'éclaire Jacquelin.
— Une marmotte ? s'étonne Guillaume.

— Il paraît que c'est bon en potée[6].

— Personne va vouloir l'acheter, observe Guillaume avec une expression qui en dit long sur ce qu'il pense de la viande de cet animal.

— Ben… Le père, il dit que c'est meilleur pis plus tendre que du lièvre. Il suffit de bien dégraisser la viande. Et pour pas que ça goûte la terre, il vaut mieux la chasser avant l'été. La veuve Barbel les achète. J'ai entendu ma mère dire qu'elle les fait mijoter dans du vin pour faire une potion pour les nouvelles accouchées.

La veuve Barbel est une sage-femme très populaire à Québec.

— Beurk! Pourquoi elle fait ça?

— Ben… parce que les marmottes sont paresseuses, je suppose que ça doit aider à faire dormir les femmes après… ben… que le bébé est sorti de…

— Jacquelin, arrête de placoter pis finis ta corvée! lui crie la mère Couture, qui vient d'apparaître à une fenêtre. Y reste encore les latrines à nettoyer!

— Y reste toujours quelque chose à faire, rouspète Jacquelin entre ses dents.

La mine rembrunie, le fils du boucher se remet à couvrir le sang avec la neige qui se

6. Plat composé de viandes diverses et de légumes.

teinte de rose comme un ciel d'aurore. Il ramasse ensuite la neige imbibée pour la mettre dans une brouette que Joseph, qui craint les récriminations de leur mère, fait semblant de retenir pour se rendre utile.

— Eh bien, je pense que je vais y aller, fait Guillaume, qui ne voit plus rien à dire.

— C'est ça, réplique Jacquelin, avec une pointe de tristesse.

Jacquelin n'a plus le temps de s'amuser. Il a maintenant treize ans et doit travailler comme un homme. Il doit chasser avec ses frères afin de pourvoir la boucherie en viandes fraîches et s'occuper du nettoyage après le dépeçage des bêtes. Guillaume reconnaît la chance qu'il a d'être dispensé de travailler aussi jeune pour gagner son pain… ce qui lui rappelle ceux qu'il doit livrer. Il se retourne pour se diriger vers le hangar, quand une tache colorée passe furtivement entre la palissade de bois qui sépare la cour de celle du voisin et le bâtiment, captant son attention, et réveillant sa curiosité. Tiens, tiens!

Guillaume contourne le hangar. Personne. Il aurait pourtant juré avoir vu passer une veste rouge. Malgré la menace d'être pendus s'ils volent les habitants, la faim et la cupidité pousse de temps à autre des soldats à commettre des larcins. Derrière la boucherie, une porte est entrouverte et donne accès à l'arrière-boutique. Guillaume jette un œil dans l'entrebâillement. L'intérieur du hangar est mal éclairé, mais Guillaume devine les pièces de viande en faisandage[7] accrochées le long des murs. L'odeur qui s'en dégage est si forte qu'elle le prend à la gorge. Face à l'étal, le boucher Couture lui tourne un dos aussi large que celui d'un taureau. Shlack! Shlack! Shlack! Il manipule le hachoir à grands coups. Guillaume se dit que pas un soldat sain d'esprit ne se risquerait à se mesurer à lui. Il s'apprête à s'en aller, quand il aperçoit une ombre se déplaçant à quatre pattes entre deux carcasses suspendues. Les coups de hachoir cessent subitement et le boucher essuie ses grandes mains pleines de sang sur son tablier. L'ombre se fond dans l'obscurité. Le boucher attrape une jatte sur une étagère.

— Hé, Xavier! Viens m'porter les oignons pour les saucisses! crie-t-il en reprenant sa place devant l'étal.

---

7. Le faisandage est le processus de vieillissement de la viande de gibier qui l'attendrira et lui donnera plus de saveur. De nos jours, il n'est plus employé en raison de la prolifération de toxines dangereuses pour la santé que cette méthode entraîne.

Xavier apparaît devant le comptoir avec une poche d'oignons qu'il laisse tomber par terre en se plaignant de son poids.

— Arrête de jouer le fainéant dans le temps que moi je m'échine à vous mettre de quoi dans l'ventre! le sermonne Louis Couture. Pis arrête de traîner les pieds quand tu marches, tu vas varloper ce plancher jusqu'aux clous, ma parole!

Shlack! Shlack! Shlack! Le boucher se remet au travail avec énergie. La viande hachée remplit rapidement la jatte. L'ombre s'extirpe prudemment de sa cachette. Guillaume a à peine le temps de se dire que ce qu'il a vu passer n'est qu'un chien en maraude, que l'ombre se déplie et prend la forme d'un être humain. Il la voit venir vers lui. Effrayé, il fait un pas en arrière et trébuche sur un seau avant de courir se cacher derrière les latrines. Juste à temps! La porte s'ouvre dans un faible grincement des gonds. Guillaume voit apparaître un chapelet de saucissons qui pendouillent dans une main...

— Torrieu de bouton plein de pus!

Il manque un doigt à cette main. Le petit doigt! Et le capot bleu tout rapiécé de retailles colorées ne peut être que celui d'Angus Macpherson. Eh bien, ça alors! Ce chanteur de pomme d'Angus est aussi un voleur de saucissons! Après être sorti, le jeune Écossais referme silencieusement la porte. Il se prépare à prendre la fuite, lorsque son pied heurte un objet. Un petit pain! Il est tombé du panier sans que Guillaume s'en aperçoive! Angus contemple la petite miche dorée d'un air perplexe. Sidéré, Guillaume le voit la prendre et la fourrer dans les plis de son plaid avant de se volatiliser dans la cour du voisin par une ouverture dans la palissade de bois vermoulu.

Jacquelin est occupé à décrocher la marmotte de la potence. Une vieille femme courbée sur sa canne attend son tour au comptoir du boucher. C'est la veuve Barbel. Louis Couture pointe un gros index à la propreté douteuse sur chacun des pains alignés sur le comptoir devant lui et énumère les garnitures qui les distinguent.

— Abricots, raisins secs, noix de Grenoble… Y a pas d'amandes! déclare-t-il gravement.

La ligne de ses sourcils devient droite comme une règle à mesurer.

— Dis donc, pourquoi est-ce qu'il n'y a pas d'amandes cette semaine?

— Je ne sais pas, monsieur Couture, répond timidement Guillaume, c'est peut-être parce qu'on n'en a plus à la maison.

Monsieur Couture fixe Guillaume bizarrement. Guillaume devine qu'il doute de la véracité de son allégation.

— T'en aurais pas mangé un, par hasard?

— Jamais de la vie! s'indigne Guillaume.

— Ouais... c'est peut-être ben pour ça qu'on t'envoie à la place de mademoiselle Françoise.

— Françoise s'est tordu une cheville, explique Guillaume.

Le boucher lance un regard vers le Sauvage, que Guillaume n'avait pas encore remarqué. Assis sur un banc près de la porte, Jean Atecouando fume tranquillement sa pipe. Dans la langue abénaquise, Atecouando signifie «qui est rusé comme le chien l'est pour la chasse». On raconte que Jean Atecouando est le meilleur chasseur de tout le pays et qu'il ne rate jamais une cible, que ce soit au harpon, à l'arc ou au fusil. On raconte aussi qu'il peut transporter un ours sur ses épaules. C'est qu'il est très grand et musclé, Jean Atecouando. Même les Anglais le traitent avec respect parce qu'ils le craignent. Tout le monde sait que l'Abénaquis déteste les Anglais plus que tous ses compatriotes depuis que son père et son frère ont été tués dans l'attaque de son village[8] et que sa femme et ses enfants ont été fait prisonniers par les Rangers en octobre dernier.

— Y a pas d'amandes cette semaine, annonce monsieur Couture au Sauvage.

Sans se presser, l'homme déplie son corps et tire tranquillement deux bouffées de sa pipe. Sous des épaisseurs de peaux ornées de motifs colorés et de fourrure, une chemise de lin jaune et des mitasses de daim l'habillent. Son visage n'exprime aucune émotion. Dans ses longs cheveux de jais brillant, il a fiché trois plumes d'aigle et deux de corbeau. Il plisse les paupières sur ses yeux sombres comme une nuit sans lune. Guillaume sent ce regard le percer jusqu'aux os et il frissonne. N'importe qui frissonne quand les yeux de Jean Atecouando se posent sur lui.

— Pas d'amandes, constate-t-il de sa voix profonde, alors, j'ai plus rien à faire icitte!

Il ramasse ses raquettes et s'en va sans saluer personne. Louis Couture hausse les épaules.

---

8. La mission Saint-François-de-Sales a été fondée en 1683 sur les rives de la rivière Saint-François par les pères jésuites afin d'évangéliser les Amérindiens. C'est aujourd'hui le village d'Odanak.

— Il aime seulement les petits pains avec des amandes, explique-t-il avec embarras. D'habitude, il y en a toujours un pour lui.

Le boucher reste un instant à contempler les petits pains. Il pêche sous le comptoir un emballage de papier brun et commence à le défaire. Guillaume découvre de belles côtelettes et une grosse portion de boudin noir. Louis Couture reprend le boudin, remballe le reste et place le paquet dans le panier de Guillaume.

— Cette semaine, c'est du chevreuil, lui annonce-t-il. Mes meilleurs souhaits de rétablissement à mademoiselle Françoise.

— Je les lui transmettrai! répond Guillaume, étonné par le geste du boucher.

Il n'ose pas demander pourquoi il a repris le boudin, habituellement inclus dans l'échange. Françoise le fait rôtir et il le mange pour le petit-déjeuner du samedi.

Chapitre 3
Les Anglais sur le qui-vive

Guillaume accroche son chapeau, sa crémone et son manteau à la patère. Dans la cuisine flottent les arômes du tabac et de la sempiternelle soupe aux choux qui mijote dans la marmite pendue à la crémaillère. Assise sur une chaise près du feu, qui jette des lueurs dorées dans la pièce, Françoise donne de temps à autre un coup de louche tout en dirigeant les leçons de catéchisme de Jeanne, à ses côtés.

— Tout s'est bien passé, Guillaume ? l'interroge Catherine en échangeant le paquet qu'il lui tend contre une tasse de bouillon chaud.

Guillaume hoche affirmativement la tête et prend place à la table où, sa pipe entre les dents, son beau-père est occupé à compter des colonnes de chiffres. Ce dernier observe à travers la fumée Guillaume plonger son nez dans les vapeurs aromatiques, tandis que Catherine s'apprête à déballer le paquet.

Des bruits dans l'entrée rompent leur tranquillité. Le capitaine Fraser fait son apparition dans la cuisine. Guillaume remercie le ciel d'envoyer l'Écossais détourner l'attention de sa mère, qui dépose le paquet. Cependant, il reste sans voix quand il voit Angus suivre le capitaine, un gros sac de jute en équilibre sur son épaule. Simon Fraser laisse bruyamment tomber le sac sur le plancher.

— Avec toute ma gratitude, dit le capitaine en s'inclinant respectueusement devant la maîtresse de maison.

Fraser offre chaque mois en « dédommagement » pour le « dérangement » que cause sa présence dans la maison, du bœuf salé, des haricots secs, du riz, de la farine et du beurre. Les premiers mois, il ajoutait aussi quelques légumes frais, tels des oignons et du navet, mais les réserves de l'armée s'appauvrissant dramatiquement, elles sont maintenant sévèrement rationnées, même pour les officiers. Cette fois, Catherine tire du sac des chandelles, du lard et de l'anguille fumés, de la belle farine de froment, des poireaux et des carottes un peu flétris, mais consommables, de la cannelle, de la muscade et du poivre, des pois secs en suffisance et… Oh ! Horreur !

— Des pommes de terre ?

Les tubercules tombent du sac sur la table et rebondissent sur le plancher. Tout le monde regarde une des pommes de terre rouler et s'immobiliser sous une chaise.

— Mais, on n'a pas de cochon! fait enfin candidement remarquer Jeanne.

— Les pommes de terre, ce n'est pas juste bon pour les cochons, réplique Fraser en riant.

Personne n'ose commenter. Il retire sa cape et son tricorne. Lorsqu'il se retourne pour leur faire face, l'Écossais comprend rapidement le dégoût de ses hôtes pour ce pourtant très vénérable tubercule.

— Vous n'avez jamais goûté à une pomme de terre? interroge-t-il en feignant la surprise.

Il n'ignore pas que les Français dédaignent la pomme de terre, la considérant comme un aliment bon seulement à nourrir le bétail. Son épouse française a mis trois années avant d'accepter d'en placer un morceau dans sa bouche. Ignorant les regards stupéfiés qui le dévisagent, il ramasse les légumes mal-aimés et les rassemble sur la table, l'air songeur.

— Il ne restait plus suffisamment de navets, alors j'ai pensé... La pomme de terre est de loin plus nourrissante que le navet, vous savez. Il ne faut pas la sous-estimer. Pendant l'automne de 1746 et l'hiver qui a suivi, ces tubercules ont été la principale source de subsistance de ma famille quand nous avons dû nous cacher dans les montagnes après la défaite des clans écossais à la grande bataille de Culloden[9]. En guise de représailles, les soldats anglais ont saccagé nos récoltes et mis le feu à nos maisons. Mais ils ignoraient que certains d'entre nous cultivaient la pomme de terre… pour nourrir notre bétail, je l'avoue humblement. Leurs semelles ont piétiné les plants, mais les tubercules sont restés intacts sous la terre. Sans eux, nous serions certainement morts de faim. Je n'ai plus cessé d'en manger depuis. Je vous assure, pilés avec de la crème et du beurre, ils sont délicieux.

Tout le monde se tourne vers Catherine comme pour attendre son verdict.

— Merci, capitaine Fraser, bafouille-t-elle sans parvenir à dissimuler son incertitude.

---

9. La bataille de Culloden a eu lieu le 16 avril 1746. Elle opposait l'armée des clans écossais jacobites à celle du roi d'Angleterre et d'Écosse, George II, issu de la lignée royale de Hanovre. Les jacobites, fidèles à la lignée royale des Stuart, avaient pour mission de replacer sur le trône d'Angleterre et d'Écosse Charles Édouard Stuart, fils de Jacques VII, roi catholique déchu et exilé en France après avoir été écarté de son trône par les protestants en 1688.

Guillaume est estomaqué. Seront-ils obligés de manger ces pommes de terre ?

— Beurk, il y a des vers dedans ! s'écrie Jeanne en montrant du doigt les pointes jaunâtres émergeant des légumes.

La remarque lui vaut un regard réprobateur de la part de sa mère.

— Ce ne sont pas des vers, mais des germes, précise-t-elle.

Catherine les contemple. On dirait effectivement des vers... et, à l'idée d'avaler ce légume, comme Jeanne, elle pense : beurk ! Mais elle sait que les intentions du capitaine sont honorables.

— Est-ce que vous accepteriez de manger avec nous ? lance-t-elle soudain à son intention. Vous pourriez peut-être suggérer à Françoise une façon d'apprêter vos... pommes de terre ?

— Je veux bien accepter votre généreuse invitation, madame Giffard, dit-il, à la condition que vous me laissiez les préparer moi-même. Votre servante n'est pas en mesure de cuisiner aujourd'hui, et vous avez besoin de repos. Ma femme raffole de la purée de pomme de terre agrémentée de crème sure ou de sauce à rôti. Quoique je pense qu'aujourd'hui nous allons nous contenter d'oignons rôtis en garniture.

Catherine se montre satisfaite.

— Et vous, cher jeune homme, est-ce que vous voulez manger avec nous ? s'enquiert-elle en s'adressant à Angus, qu'on a oublié derrière l'officier.

Tous les regards se déplacent maintenant vers lui. Les yeux d'Angus s'arrondissent de surprise tandis que ceux de Guillaume s'agrandissent d'incrédulité. Il n'en revient pas ! Angus le voleur, qui chipe les saucissons de monsieur Couture, qui se sauve avec SON petit pain, qu'il a certainement déjà dévoré, va maintenant manger à la même table que lui ? Il fixe le jeune Écossais sans plus cacher son mépris. Malheureusement, Angus ne le regarde pas.

De son côté, Angus a terriblement envie d'accepter l'invitation. Il n'a pas mangé à une table familiale depuis son départ d'Écosse, il y a presque trois ans. Et encore, *Aunt* Mary avait un cœur d'or et l'aimait comme son propre fils, mais elle était loin de connaître les manières de madame Giffard et de Jeanne. Il craint qu'on ne se moque de lui. À vivre pendant aussi longtemps avec des soldats, souvent de simples fils de paysans cherchant à fuir la pauvreté, sinon de pauvres hères engagés par la ruse dans les tavernes des ports, on finit par en imiter les façons…

— Quand il y a du pâté pour six, il y en a pour sept, décrète Catherine. Allons bon, c'est décidé ! On goûtera tous ensemble aux fameuses pommes de terre du capitaine Fraser.

* * *

Angus a englouti son assiette comme un goinfre avant de finir de la nettoyer avec ses doigts et une épaisse tranche de pain ! Quel glouton ! Bon, c'est vrai, les pommes de terre n'étaient pas si mal, pilées avec du bouillon, de la muscade et des oignons. Mais Guillaume s'est efforcé de ne pas trop le montrer. Ce n'était pas comme Angus, qui, un peu plus, faisait reluire son assiette à coups de langue. S'il avait agi comme l'Écossais, il aurait eu droit à de sévères remontrances. Mais parce que c'est Angus, le geste disgracieux a fait beaucoup rire Jeanne et sourire sa mère, qui est même allée jusqu'à lui offrir une autre tranche de pain. Gêné, Angus a bien sûr refusé, mais Guillaume a vu ses yeux dévorer le contenu des autres assiettes sur la table. S'il n'avait pas tout mangé sa purée de pommes de terre, Guillaume lui aurait avec joie cédé son reste… comme on le fait avec les vrais cochons ! Les Anglais savent aussi bien que les

Français que les pommes de terre servent habituellement à engraisser les porcs!

Il essaie de penser à autre chose. C'est inutile. Le souvenir du sourire enjôleur d'Angus ne cesse de le narguer et il est incapable de se concentrer sur la patience[10] qu'il joue. Pendant que Guillaume ramasse les cartes, le cliquètement des broches à tricoter résonne dans le salon, qu'emplit le faible crépitement du feu dans l'âtre. Catherine laisse filer une maille et pousse un grognement d'impatience. Elle a l'air préoccupée. Charles aussi. Il a ouvert un livre sur ses genoux mais, l'esprit ailleurs, il ne lit guère. Guillaume se demande si c'est à cause du morceau de boudin manquant. Il a remarqué l'air surpris de sa mère quand elle a finalement déballé le paquet de viande. Elle n'a rien dit en présence du capitaine Fraser et d'Angus.

Après leur départ, elle l'a interrogé. Guillaume l'a assurée qu'il ne sait pas pourquoi le boucher n'a pas mis le boudin dans le paquet. Le boucher n'a rien dit à ce sujet. Guillaume omet délibérément de dire que monsieur Couture avait préalablement placé le boudin dans le paquet et qu'il l'a enlevé. Est-ce que

---

10. Jeu de cartes qui se joue seul.

cela peut avoir un lien avec le petit pain garni d'amandes qu'il s'attendait à trouver parmi les autres ? Guillaume a aussi sciemment « oublié » de spécifier le fait qu'un pain manquait. Il n'a pas eu le réflexe d'empêcher l'Écossais de le lui prendre. Le dénoncer à monsieur Couture ou à Charles l'aurait obligé à avouer sa lâcheté. Parce qu'il doit l'admettre, il a eu peur de se montrer devant Angus. L'Écossais est plus grand que lui et, malgré qu'il soit plus maigre, il porte toujours un *sgian dubh*[11] inséré dans sa chaussette. Un couteau reste un couteau, tandis qu'un petit pain n'est, somme toute, rien de plus qu'un petit pain.

— Il est tard, Guillaume, lui dit sa mère. Il est grandement temps de te mettre au lit. N'oublie pas d'enfiler une deuxième paire de bas et vérifie si ta sœur est bien couverte.

— Oui, maman, fait Guillaume.

Il range les cartes à jouer dans le secrétaire, embrasse sa mère, serre la main de son père et monte à l'étage.

— Je suis certaine qu'il s'est passé quelque chose, entend-il sa mère murmurer alors qu'il met le pied sur la dernière marche.

---

11. Couteau traditionnel écossais. Prononcer « skin dou ».

Guillaume ne bouge plus et écoute la suite.

— Il y a certainement une explication, répond Charles.

— Que contenait ton message cette semaine ?

— Des précisions sur l'emplacement des magasins de l'armée et un dernier rapport sur l'état des troupes.

— Tu l'as signé ? Tu as inséré une information qui pourrait t'identifier ?

— Voyons donc, Madame ! s'écrie Françoise, Monsieur est bien trop rusé pour se faire bêtement prendre comme un écolier qui triche.

— Tu as raison, Françoise, concède Catherine dans un soupir. Je m'en fais pour rien. Mais alors, reprend-elle néanmoins, si c'était le messager de Bourlamaque[12] qui s'était fait prendre par les Anglais avec des informations qui te sont destinées ? Les Anglais ne sont pas si bêtes pour croire qu'il n'existe pas de mouvement de résistance dans Québec. Bientôt ce sera la débâcle du fleuve. Le chevalier de Lévis va certainement agir d'ici quelques jours.

_____

12. Le général François Charles de Bourlamaque était le commandant des troupes cantonnées au fortin de la rivière Jacques-Cartier durant l'hiver de 1760.

— Attendons de recevoir des nouvelles de Couture. Il suffit de rester calmes et de ne rien changer à nos habitudes d'ici là. Je vais faire porter un message dès demain à l'auberge du Chien d'or.

— Je n'aime pas ça.

— Ma mie…

Le ton de Charles l'incite au calme. Catherine dépose son ouvrage et pousse un soupir. Le bébé la roue de coups de pied et cela lui fait mal dans le bas du ventre. Elle en est à la fin de son huitième mois de grossesse. Il lui reste encore un mois à subir les humeurs de ce nouvel être qui ne demande qu'à s'exprimer. Elle applique ses deux mains sur son ventre et le caresse avec amour pour apaiser l'enfant. Une petite protubérance se déplace sous sa paume et lui arrache un sourire. C'est parce qu'elle est nerveuse que le bébé s'agite autant. Elle essaie pourtant de se détendre, mais n'y arrive pas.

— Ça va être un p'tit vigoureux, celui-là, j'vous le prédis, Madame ! s'écrie Françoise en piquant son aiguille dans l'étoffe de la chemise qu'elle reprise.

Catherine gratifie sa domestique d'un sourire et reprend son tricot. Charles fait mine de se replonger dans sa lecture. Sur la pointe des pieds, Guillaume gagne sa chambre. Charles Giffard, un espion ? Ça alors ! Guillaume est à la fois étonné et impressionné. Quoique… s'il fallait que le capitaine Fraser l'apprenne…

* * *

Deux jours plus tard, remise de son entorse, Françoise revient du marché en catastrophe.

— Eh bien, ma pauvre Françoise, ton panier est plutôt léger aujourd'hui, remarque Catherine en le voyant vide. C'est pire que jamais ! Tous les celliers des environs seraient finalement épuisés jusqu'à la terre battue ?

— Ha ! Ha ! s'esclaffe Jeanne devant les chaussures couvertes de boue de la servante. On dirait qu'elle a trempé ses pieds dans du chocolat, maman !

— Madame, je dois vous parler, à vous et à Monsieur, fait nerveusement la servante.

— Ma foi, tu as vu la Sainte Vierge en chair et en os ? s'écrie Catherine.

— Si c'était ça, Madame ! Oh ! Si c'était rien que ça !

— C'est vrai qu'elle a l'air d'avoir trempé les pieds dans…

— Va chercher papa Charles, Jeanne, s'impatiente Catherine, qui, à l'expression de Françoise, devine un drame.

La fillette saute de sa chaise et part en galopant. Catherine invite Françoise à s'asseoir.

— Je peux pas, Madame. Pas tant que j'ai pas livré la nouvelle.

— Quelle nouvelle ?

— Il faut que Monsieur l'entende, Madame. Je peux pas prendre le risque de parler tout haut plus d'une fois.

Elle retire sa cape et ses chaussures, essuie du mieux qu'elle peut ses bas et glisse ses pieds dans ses sabots de bois. Quand elle se redresse, Charles se tient dans l'encadrement de la porte, Jeanne accrochée à son bras. Le regard chargé d'inquiétude de Françoise sonne une alarme dans l'esprit de Charles. Sans poser de question, il se dirige vers la salle à manger, Françoise, sa femme et Jeanne sur ses talons. Catherine se penche sur la fillette.

— Ma puce, est-ce que tu entends ?

Jeanne tend l'oreille.

— Non, quoi ?

— Ah ! C'est pas ta poupée qui te réclame ?

— Ma poupée ?

— Je pense qu'elle vient de se réveiller.

— Mais, je viens tout juste de la coucher !

— Elle doit avoir fait un cauchemar.

— Vraiment ? s'étonne Jeanne. Oh ! La pauvre...

Jeanne s'envole consoler sa poupée, Catherine ferme la porte de la salle à manger. Françoise fait les cent pas et s'agite.

— Les Anglais ont découvert l'existence d'un réseau d'espionnage dans la ville.

— Quoi ? s'écrie Catherine, interloquée.

— Comment ? ajoute Charles.

— Je ne sais pas, Monsieur Giffard, s'écrie Françoise, toute retournée par les évènements. J'attendais que le cordonnier finisse de changer le talon du soulier de Madame, quand j'ai entendu deux clientes chuchoter derrière moi. L'une d'elles racontait que sa voisine a reçu la visite des soldats. Ils ont fouillé la maison et toutes ses réserves. Quand ils ont vu qu'elle n'avait pas de farine de froment, ils sont partis.

— De la farine de froment ?

Le sang quitte le visage de Catherine et elle se retient au bras de Charles. Leurs regards se croisent. Ils devinent la même chose.

— Il faut se débarrasser de la farine…

— C'est inutile, ma mie. C'est le capitaine qui nous l'offre.

— Les pains… on doit avoir découvert ton message dans le pain.

— J'aurais dû prendre l'autre farine, Madame, celle qu'emploient la plupart des gens, se culpabilise Françoise.

Charles fait quelques pas et s'appuie contre le chambranle de la fenêtre. Les secondes s'écoulent au rythme du tic-tac de la pendule.

— Il est possible, en fin de compte, que l'agent de Bourlamaque ait été intercepté avec les informations secrètes lors de son dernier voyage. On surveillait peut-être ses allées et venues dans la ville depuis un moment. Quelqu'un peut avoir parlé. Un collaborateur ? En ne nous envoyant pas de boudin, Couture a peut-être tenté de nous avertir d'une fuite dans le réseau. Si les Anglais croient qu'il y a des espions entre les murs, ils vont fouiller toutes les maisons.

— S'ils cherchent de la farine de froment... Le capitaine Fraser a vu les petits pains dans le panier de Françoise, se rappelle soudain Catherine. Oh ! Tu crois... tu crois...

Elle n'arrive plus à articuler ses mots.

— Vous croyez qu'il va nous dénoncer ? formule pour elle Françoise.

— Je ne le sais pas, répond Charles, pensivement. Quoi qu'il en soit, tôt ou tard, les Anglais finiront par tout découvrir. Je dois réfléchir...

* * *

Le reste de la journée se déroule dans une atmosphère de morosité commune. Guillaume rentre pour le dîner avec un air bougon. Alors qu'il venait attendre la sortie d'Émeline de l'Hôtel-Dieu pour passer un moment avec elle, Guillaume a surpris son amie en train de serrer Angus Macpherson dans ses bras. Le couple se tenait dans l'allée de l'Hôpital, au vu et au su de tout le monde. Très choquant! Quand elle a embrassé l'Écossais sur la joue, Guillaume a senti son cœur se décrocher dans sa poitrine et se briser en mille morceaux. Il est rentré chez lui sans l'attendre.

Catherine et Charles semblent perdus dans leurs pensées. Au dîner, Jeanne demande pourquoi son père ne répond plus quand elle lui parle. Catherine lui dit qu'il réfléchit.

— À quoi? fait Jeanne.

— À des choses importantes.

Lorsque les enfants sont enfin au lit et que le capitaine Fraser les libère de sa présence, Charles entraîne sa femme contempler le ciel par la fenêtre de la mansarde. Il veut aussi lui faire part de la décision qu'il a prise.

* * *

Crrrric! Crrrrac! Le bruit réveille Guillaume, qui ouvre les paupières. Le feu dans l'âtre n'éclaire plus que faiblement la chambre. On doit être au beau milieu de la nuit. Crrrric ! Crrrrac ! Le craquement bat un rythme régulier. Guillaume n'ose bouger autre chose que les yeux. Les flammes dans l'âtre projettent des ombres vacillantes sur les murs. Les meubles et les objets qui l'entourent s'animent et prennent des formes curieuses. L'atmosphère est des plus sinistres. La cape suspendue à la patère est un fantôme qui voltige tandis que les jambes de la poupée de Jeanne giguent sur la chaise. Mais le plus inquiétant est la statue de la Vierge Marie en bois que garde sa mère sur la commode et qui lui fait des grimaces démoniaques.

Il ose regarder autour de lui... Françoise endormie sur le lit de ses parents ? Pourquoi est-ce que Françoise est dans la chambre et où sont passés ses parents ?

Il se lève doucement pour ne pas réveiller Jeanne, qui dort à poings fermés. Il comprend que les grincements proviennent du couloir. Il entrouvre la porte et passe la tête. Il ne voit personne. Mais il entend des murmures en bas. Que font ses parents ? La porte de la chambre du capitaine Fraser est ouverte, remarque-t-il. Bizarre... Guillaume sent le besoin d'enquêter. Ses mains le guident dans l'obscurité jusqu'à la cuisine. Apparemment, tout le monde s'y est rassemblé pour une collation de minuit.

Peut-être pas pour une collation, rectifie-t-il en découvrant la scène. D'abord, Charles, vêtu de son capot et de son tapabord[13], deux besaces gonflées passées en bandoulière, semble paré pour une expédition. Ensuite, sa mère, les yeux rougis, sans doute par le chagrin de le voir partir, n'est couverte que de sa robe de nuit et de son châle de laine. Puis le capitaine Fraser, sa chemise hâtivement entrée dans sa culotte, la chevelure en bataille, un pistolet à la main.

— Qu'est-ce qui se passe? demande Guillaume.

Tout le monde se retourne en même temps. Dans la faible lueur de la chandelle qui éclaire la cuisine, les traits du garçon expriment toute sa crainte. En l'apercevant, Catherine étouffe un cri dans sa paume.

— Guillaume… bafouille-t-elle. Retourne dans la chambre!

---

13. Il s'agit d'une calotte munie de cache-oreilles qui, une fois nouée sous le menton, couvre les oreilles et empêche que cette coiffure ne soit emportée par le vent. Le tapabord possède aussi une visière que l'on peut rabattre.

Elle se précipite vers lui. Charles profite du moment de diversion pour prendre la fuite. Catherine l'entend sortir de la maison et son cœur se déchire. En même temps, une douleur au ventre lui arrache un gémissement. Fraser vient à son secours et la soutient. Tout ce temps, Guillaume reste paralysé sur place. Ce qu'il comprend lui donne un grand coup dans le ventre. Fraser a démasqué Charles. Il va le dénoncer. Les espions sont habituellement pendus. Il se souvient de Robert Stobo et de Damien Saint-Amant. Il se souvient surtout de Saint-Amant se balançant au bout de sa corde.

Chapitre 4

Guillaume l'espion

Assis sur un banc devant le fourneau, où ils ont pris l'habitude de s'installer en attendant leur petit-déjeuner, Guillaume et Jeanne regardent sans grand appétit le filet de pâte couler et former de larges cercles sur la plaque de fonte brûlante. La cuisine se remplit rapidement de l'odeur des galettes de sarrasin qui grésillent. Elle envahit rapidement la cuisine et supplante celle, un peu âcre, du café de seigle[1] grillé qui chauffe dans la cafetière.

Quand Françoise tourne les galettes, elle remarque la mine chagrinée des enfants.

— Allons, il va revenir votre père, leur dit-elle dans l'espoir de les rassurer.

---

1. À cette époque, en Amérique, le café était considéré comme une denrée dispendieuse que très peu de gens pouvaient s'offrir. Lorsqu'il n'était pas disponible, les habitants le remplaçaient parfois par des grains d'orge ou de seigle grillé et moulu.

Jeanne se mordille la lèvre pour ne pas pleurer. Guillaume serre les siennes. Il en veut un peu à Charles d'être parti si vite alors que sa mère va bientôt avoir son bébé. Elle a de temps à autre des maux de ventre que Françoise appelle des « contractions ». Guillaume ne sait pas trop ce qu'est une contraction, mais il sait que ça annonce l'arrivée du bébé. Il a demandé à Françoise de lui expliquer comment arrivent les bébés. Elle a dit que les garçons n'avaient pas besoin de le savoir parce que de toute façon, pendant qu'il arrive, les papas attendent dans le salon. Un accouchement est une affaire de femmes.

Il lance un regard vers sa mère. Elle est assise dans sa chaise berçante devant la fenêtre. Elle reste là souvent pendant des heures, à pleurer, à espérer voir Charles revenir à la maison, même si elle dit qu'il ne le fera pas. Il est parti reprendre le commandement de sa compagnie. Il veut mener ses hommes vers la victoire et libérer Québec du joug des Anglais. Il rêve de voir le drapeau fleurdelysé flotter à nouveau sur les remparts.

Un grattement de gorge distrait Guillaume de sa méditation. Il se retourne. Le capitaine Fraser se tient dans l'encadrement de la porte, paré pour sortir.

— Vous avez été bien silencieux ce matin, capitaine, murmure Catherine en remontant son châle sur ses épaules. Je vous croyais déjà parti pour la journée.

Il leur souhaite bonjour et leur demande de lui pardonner son intrusion. Il s'explique en extirpant des plis de sa cape la mallette de cuir qui pend au bout de son bras.

— J'avais des rapports à terminer de rédiger.

Personne ne dit rien pendant quelques secondes. Lorsqu'il ouvre de nouveau la bouche, le malaise s'inscrit sur les traits de l'officier.

— Madame, j'ai à vous parler…

Catherine demande à Françoise de monter habiller Jeanne. Guillaume peut s'occuper des galettes. Est-ce que cela dérange le capitaine ? Il répond que Guillaume est suffisamment grand pour entendre ce qu'il a à dire.

— Monsieur Giffard doit absolument revenir à Québec, débite Fraser sans préambule dès que la fillette et la servante sont parties. Je ne pourrai cacher sa désertion plus longtemps. Vous n'ignorez pas qu'une enquête tente de découvrir d'où provient le message codé découvert dans un pain à la farine de froment, à l'Hôtel-Dieu, par un soldat malade.

Un message dans un petit pain ? Guillaume sursaute comme s'il avait été piqué par une guêpe. Horrifié par ce qu'il apprend, il voit pâlir sa mère.

— Dans un pain chez les Augustines ? répète Catherine, estomaquée.

Ainsi, ce n'est pas le messager de Bourlamaque qui a été mis en état d'arrestation, comme l'avait soupçonné Charles. Est-ce que les religieuses passaient aussi de l'information aux Français ? L'idée brillante de placer les messages dans les pains vient de Françoise. Que d'autres aient imaginé le même subterfuge, cela lui paraît invraisemblable. Or, ce pain devait immanquablement parvenir au boucher et rester entre ses mains. Mais comment serait-il parvenu jusqu'à l'hôpital ? À moins que... Elle se tourne vers son fils. S'il en a perdu un en chemin ? La spatule à la main, Guillaume fait mine de surveiller la cuisson des galettes. Elle ouvre la bouche pour le questionner mais l'Écossais l'en empêche.

— Madame, je n'ai pas mis longtemps à deviner que monsieur Giffard faisait partie du mouvement de résistance française, confesse-t-il, et que, de ces petits pains que votre servante fait cuire pour les pauvres avec la farine de froment que je vous fournis, l'un d'eux devait finir sur la table des dirigeants de l'armée française, mettant ainsi en péril celle de la Grande-Bretagne. Soyez assurée que je n'ai parlé à personne de ce que je sais.

— Oh! fait Catherine.

Guillaume tourne la galette.

— Le général Murray a interrogé toutes les religieuses une à une, continue Fraser. Elles ont toutes formellement nié, une main sur la Bible, avoir espionné contre les Anglais. Je pense qu'il les a crues. Une liste de tous les propriétaires de four à pain a été rédigée et les fouilles exécutées chez eux n'ont rien donné. Vous devinez que le nom de votre mari se trouve aussi sur cette liste, madame Giffard, poursuit Fraser. Si les hommes de Murray ne sont pas venus ici, c'est uniquement dû au fait que le capitaine Giffard est sous ma surveillance. Je me suis porté garant de toutes ses allées et venues. Il n'est pas encore considéré comme un suspect, mais cela ne saurait tarder. Si ça arrive, je certifierai qu'il n'est pas sorti de chez lui à mon insu. Le garde posté en permanence devant la maison pourra en témoigner. Pour le condamner, le tribunal doit prouver hors de tout doute sa culpabilité. Ce qu'il ne peut pas faire sans mon témoignage. Mais si Murray découvre que le capitaine n'est plus ici, je ne pourrai plus rien pour lui. Sa fuite sera interprétée comme un aveu de culpabilité.

L'accablement de Catherine s'alourdit.

— Vous êtes avant tout un officier de l'armée de Sa Majesté britannique. En taisant le départ de mon mari, vous avez déjà trahi votre serment de loyauté envers votre roi, murmure-t-elle. Je ne peux pas vous demander de risquer davantage votre vie pour lui.

L'Écossais est embarrassé.

— Je voue ma fidélité à mon seul honneur, madame, qui est celui de faire ce que je crois au mieux du bien et au moindre du mal. Je respecte le capitaine Giffard et honore tout le courage dont il a fait preuve jusqu'ici. Il est aussi officier et je peux comprendre son grand désir de continuer de faire partie de la bataille.

— Mon mari avait effectivement honte d'être ici, au chaud, alors que sa compagnie gèle dans ses quartiers d'hiver, concède-t-elle. Il disait qu'il ne valait pas mieux qu'un déserteur s'il ne respectait pas ses premiers devoirs d'officier, qui sont de servir son roi et de mener ses hommes à la guerre.

— L'honneur appartient à tous les hommes, madame, déclare Fraser. Il n'y a pas d'honneur qui soit mauvais s'il respecte des principes moraux qui sont justes.

Catherine hoche la tête et laisse échapper un long soupir. Son regard revient vers la fenêtre. C'est au tour de Fraser de secouer la tête et de soupirer.

— Vous comprenez que, malgré toute ma bonne volonté, je ne peux pas empêcher les évènements de suivre leur cours, madame. Pour l'instant, l'enquête ne progresse pas. Les religieuses jurent qu'elles n'ont pas boulangé le pain. Une fouille dans leurs réserves a démontré qu'elles ne possèdent pas de farine de froment. De son côté, le caporal Brown, qui a trouvé le pain, affirme qu'il ne sait pas qui l'a déposé sur son lit. Il l'a découvert en se réveillant. Les malades autour ont déclaré n'avoir vu que les religieuses circuler dans la pièce. Le comité se trouve dans une impasse, mais il a la ferme intention de débusquer l'espion. Tôt ou tard, on demandera à interroger votre mari. De mon côté, je tenterai de faire patienter le général encore quelques jours. Je lui raconterai que le capitaine Giffard souffre d'une forte fièvre et qu'il est confiné à sa chambre. Mais il devra de toute évidence guérir rapidement, sinon… Madame, vous comprenez que je ne peux pas couvrir son départ plus longtemps. Cela fait déjà trois jours. Je vous conjure de trouver un moyen de lui faire parvenir un mot lui demandant de revenir. Autrement, je le crains, je serai contraint de révéler au général la fuite du capitaine Giffard.

— Pourquoi faite-vous cela pour nous, capitaine Fraser ? demande Catherine en le dévisageant.

— La guerre a brisé ma famille, madame. Je ne souhaite pas que la même chose vous arrive. J'estime que vous ne le méritez pas.

— Vous risquez beaucoup.

Il se détourne vers la fenêtre et laisse passer un moment de silence avant de répondre.

— Pas mon honneur, madame.

Elle hoche la tête.

— Je ne peux pas demander au capitaine Giffard de manquer à ses devoirs d'officier, avoue Catherine, désespérée. Il ne reviendra pas.

— Oui, je comprends, admet Fraser sincèrement chagriné. Je ne peux rien faire de plus.

— Vous avez déjà beaucoup fait, merci, capitaine Fraser.

Le cœur de Guillaume bat très fort dans sa poitrine. Par sa faute, Charles Giffard a été obligé de se sauver de Québec.

— Guillaume, que fais-tu ? l'interpelle sa mère dans un éclat de voix.

Il sursaute. La galette est en train de brûler.

* * *

— Faut pas revenir icitte ! C'est pas prudent. Retourne chez toi, mon p'tit ! s'écrie Louis Couture en refoulant Guillaume jusqu'à la sortie de la boucherie.

— S'il vous plaît, monsieur Couture ! insiste Guillaume en lui présentant un billet cacheté. C'est pour mon père. Vous n'avez qu'à remettre la lettre au Sauvage pour lui.

Louis Couture surveille constamment les alentours. Il ne voit que ses fils, Jacquelin et Xavier, occupés à dépecer le cochon que leur a vendu le fermier Trudel.

— Les Anglais soupçonnent tout le monde. Le Sauvage ne reviendra plus.

La porte claque au nez de Guillaume. Quand il se retourne, Jacquelin et Xavier le dévisagent en silence. Un tambourinement dans la fenêtre avertit les garçons de reprendre le travail et ils s'exécutent. Désespéré, Guillaume emprunte le chemin de la maison. Il désirait faire parvenir sa lettre à son beau-père. Il souhaite que Charles revienne. Le chagrin de sa mère le rend malheureux.

Elle lui a demandé s'il avait livré TOUS les pains chez le boucher. Il a été incapable de lui dire la vérité. Quoiqu'en racontant qu'après avoir trébuché, il avait répandu le contenu du panier dans la rue Saint-Jean, devant l'Hôtel-Dieu, il n'a pas menti non plus. Il n'a pas pu avouer qu'il avait lâchement laissé Angus partir avec le pain parce qu'il avait eu peur qu'il s'en prenne à lui avec son couteau. Il a préféré laisser sa mère croire qu'un soldat l'avait ramassé et offert aux malades. Pour s'amender, il a rédigé cette lettre où il explique à son beau-père que le capitaine Fraser tente de dissimuler sa disparition à Murray, mais qu'il ne peut le faire plus longtemps. Aussi Guillaume implore-t-il Charles de revenir à Québec le plus rapidement possible. Malheureusement, il ne sait pas comment lui faire parvenir sa lettre et il n'a pas trouvé d'autre moyen lui permettant de réparer ses torts.

À qui se confier ? Émeline, il ne l'a plus revue depuis qu'il l'a aperçue enlacée à l'Écossais dans la cour des Augustines. Hier, il l'a vu raccompagner son amie jusque devant chez elle. Émeline et l'Écossais ont parlé pendant quelques minutes avant de se laisser. Émeline a encore donné l'accolade à Angus. Guillaume les a espionnés depuis la lucarne de la mansarde. Il est clair maintenant qu'elle préfère la compagnie d'Angus à la sienne. Il a perdu son amie. Son amie « À la vie! À la mort!».

Il en est là dans ses pensées moroses quand il atteint le sommet de la côte du Palais. La sentinelle en poste ne lui porte aucune attention. Il emprunte la rue des Pauvres. L'odeur qui se dégage de la cour de l'hôpital est devenue si pestilentielle que c'est en se pinçant le nez qu'il passe devant. Il y a toujours beaucoup de soldats anglais qui vont et qui viennent autour de l'Hôtel-Dieu. Il doit s'arrêter pour laisser passer un chariot tiré par deux bœufs qui quitte l'établissement. Dans le véhicule sont alignés des sacs taillés dans de vieilles voiles de navires. Les morts de l'hiver. Il y en a des centaines, paraît-il. Guillaume se demande où on va enterrer tous ces corps.

Ses bottes s'enfoncent dans la fange de la rue Saint-Jean. Elles font un sloup! sloup! dégoûtant à chacun de ses pas. La côte de la Fabrique n'est guère mieux, sinon pire, à cause de la source qui coule au milieu de la chaussée. Il existe des dizaines de sources dans la Haute-Ville qui se déversent dans la Basse-Ville. Leurs cours ont décidé du tracé de plusieurs des rues. C'est justement le cas de la côte de la Fabrique. Tous les printemps, c'est la même chose. La fonte des neiges gonfle ces eaux souterraines et les rues de Québec se transforment en véritables bourbiers.

Pour éviter d'être mouillé jusqu'aux mollets, Guillaume emprunte la banquette de bois qui longe la façade des édifices. Un régiment exécute des manœuvres d'entraînement dans la Grande Place. Les soldats tournent sur eux-mêmes, mousquet en main, tapant du talon dans un seul temps, les basques de leur justaucorps volant autour d'eux comme des corolles de coquelicots. Il n'y a pas si longtemps, exactement au même endroit, les régiments français faisaient la même chose. Revient à Guillaume le souvenir de sa mère, le regard pétillant de fierté, lorsqu'elle les accompagnait, Jeanne et lui, pour voir les soldats de la compagnie de son père exécuter le même ballet de mouvements. C'était juste avant qu'il ne parte pour le fort Duquesne, en Nouvelle-Angleterre.

Michel Renaud lui avait promis de lui acheter à son retour une charge de cadet à l'aiguillette[2]. S'il était soldat, sa mère ne pour-

---

2. Les cadets à l'aiguillette sont généralement des fils d'officiers en service ou à la retraite. Ils apprennent le métier de soldat et sont promus à un grade d'officier s'ils prouvent leurs capacités.

rait qu'être fière de lui et Émeline, éblouie par son bel uniforme des Compagnies franches de la Marine. Mais les évènements ont fait en sorte que cette promesse n'a pu être tenue.

Perdu dans son monde intérieur, à rêver d'une vie de soldat glorieux, Guillaume ne fait pas attention aux gens qu'il croise sur la banquette. Il entend une musique et reconnaît le son agaçant de la cornemuse. En passant devant, il tourne la tête vers la vitrine du cabaret[3] du Griffon d'or.

— Guillaume ?

— Émeline ? Oh !

Angus Macpherson l'accompagne.

Les deux garçons se dévisagent, d'abord étonnés, puis la colère envahit Guillaume.

— Qu'est-ce que tu fais ici ? lui demande Émeline.

— En quoi ça t'intéresse ? Maintenant que tu as l'Écossais…

— Guillaume !

Il veut poursuivre son chemin, mais Émeline le retient par la manche.

— Laisse-moi, qu'il dit en cherchant à se dégager.

---

3. Un cabaret était un établissement équivalent à une taverne de nos jours.

— Tu n'es pas juste, Guillaume Renaud! Angus a perdu son père il y a à peine trois jours.

Le sergent Macpherson est mort. Quand? Personne ne le lui a dit. Quand même...

— Tu vas le consoler encore longtemps?

Émeline reste bouche bée.

— Pourquoi tu es si méchant avec lui? dit-elle, sidérée par le manque de compassion de Guillaume.

— *Dinna mind*, Miss Émeline, murmure Angus. Pas grave...

— Mais si, c'est grave! proteste Émeline d'une voix forte. Tu n'as rien fait pour mériter une telle méchanceté.

— Il n'a rien fait? s'écrie Guillaume. Vraiment?

Il ressent soudain une brusque envie de se défouler sur l'Écossais. De lui montrer qu'il n'a plus peur de lui.

— Tu n'es qu'un voleur, Angus Macpherson! qu'il lui lance en se dressant de toute sa taille devant lui. Tu as volé le boucher Couture. Je le sais, parce que je t'ai vu sortir du hangar avec des saucissons.

En voyant l'Écossais devenir aussi blanc qu'un drap, Guillaume s'enhardit.

— Et je t'ai aussi vu voler le petit pain. Le petit pain que tu n'as pas mangé parce que tu t'es tellement empiffré de pâté et de purée de pommes de terre à notre table que tu n'avais plus faim. Alors tu l'as laissé à l'hôpital et à cause de toi mon père...

Guillaume lit sur le visage d'Émeline la grande déception qu'il lui cause et il s'interrompt d'un coup.

— Si tu avais faim, tu volerais peut-être, toi aussi, Guillaume Renaud, commente-t-elle, révoltée.

— *The bread, 'twas yers*[4]*?* fait Angus.

Ses traits expriment sa grande surprise devant ce que lui a dévoilé Guillaume. Brusquement conscient qu'il a trop parlé, Guillaume s'éloigne en courant.

* * *

Jeudi, 24 avril. Quatre jours ont passé. L'azur qui tapisse le ciel est intense. En son centre, le soleil brûle, ardent et lumineux, et réchauffe les pierres des remparts, le zinc et les bardeaux de bois des toitures des maisons et des édifices de Québec. Il fait suffisamment

---

4. Le pain, il était à toi?

doux pour entrouvrir les fenêtres et aérer les pièces pour en chasser les relents d'un long et affreux hiver. Aujourd'hui on a de bonnes raisons de croire que le printemps est enfin installé.

Guillaume est penché à la lucarne de la mansarde. Il observe le va-et-vient dans la rue Saint-Louis tout en bas. Les gens désertent progressivement la ville. Il y a trois jours, le général Murray a fait clouer une proclamation sur les portes des églises et crier l'ordre sur les places publiques. Les citadins ont jusqu'à ce soir pour sortir de la ville. Murray veut préserver ce qui lui reste de nourriture dans ses magasins pour ses soldats. On dit que les navires français ont quitté Montréal et Sorel avec à leur bord une importante armée et qu'ils descendent le fleuve. Pourtant, il y a encore de la glace devant Québec, a remarqué Guillaume. Comment feront les navires pour accoster?

Les départs se sont faits dans une grande confusion. Les gens ne savaient pas où aller. La population s'indigne du traitement que leur infligent les Anglais, en même temps elle se révolte de ce que les Français les abandonnent à leur sort, entre les deux feux. Les soldats ont expulsé de force quelques récalcitrants qui avaient peur que les militaires ne dévalisent leur maison. Quant à sa mère, elle dit craindre les effets du voyage pour le bébé. Elle a encore des contractions. Le capitaine Fraser leur a obtenu une dispense et leur assure sa protection.

Les militaires ont pris le contrôle de la ville. Guillaume voit passer des gens pressés, des officiers à cheval, des soldats à pied, des ordonnances et aides de camp. Les officiers les saluent en soulevant leur couvre-chef. Les plumets et les cocardes fixés aux rabats de leur tricorne frémissent. Perdu dans ses réflexions, Guillaume les regarde et caresse le drap du justaucorps de l'uniforme qui l'habille. C'est celui de son père. Combien de fois l'a-t-il endossé pour s'admirer dans la glace, imaginant que c'était le sien ? Penser qu'il ne pourra jamais porter un aussi bel uniforme avec la même fierté que son père et Charles Giffard le rend chagrin. Quand il a le vague à l'âme, il vient se réfugier dans la mansarde et fouille dans le coffre à souvenirs. Les souvenirs sont réconfortants. Comme la bonne soupe au poulet, « ça réchauffe le dedans », dit souvent Françoise. Mais depuis les derniers évènements, c'est tous les jours que Guillaume vient dans la mansarde. Il réfléchit. À ce qu'il a fait. À ce qu'il doit maintenant faire pour réparer ses torts.

Hier, il a avoué à sa mère qu'il lui avait menti sur les petits pains. Elle a ouvert la bouche, sans doute pour le réprimander sévèrement. Parce qu'il a menti. Parce qu'il n'a pas empêché Angus de le voler. Toutefois, aucune réprimande n'est venue. Catherine a tout simplement repris son ouvrage de tricot et ne lui a plus adressé la parole jusqu'à ce matin. Guillaume aurait préféré subir une colère justement méritée que le ton froid comme l'hiver qu'elle a employé pour lui demander d'accomplir ses tâches journalières. Il sait qu'il l'a profondément déçue.

Des cris détournent son attention vers le ciel. Les oies sauvages! Elles sont de retour! Guillaume les entend, mais... Il tend le cou. Oh! Là! Oui! Il en voit trois, dix, vingt, cinquante! Leurs ventres blancs s'alignant en grains de chapelet, elles traversent le ciel bleu comme une pointe de flèche. Et elles crient leur bonheur de revenir au pays. Elles lui disent: «Bonjour, petit wôbtegua[5]! Nous revoilà!»

Les chevrons des oies s'éloignent et disparaissent progressivement derrière les toitures

---

5. Oie sauvage dans la langue abénaquise.

des maisons. Soudain passe une retardataire. Une oie, isolée du reste du groupe qu'elle tente de rejoindre. Guillaume se sent soudainement comme cette oie solitaire. Un petit *wôbtegua* délaissé. Son passage à cet instant précis veut-il lui signifier quelque chose ? Il caresse toujours le drap du justaucorps. Le poids de l'épée pèse contre sa cuisse. Le métal du pommeau bien astiqué et celui du hausse-col étincellent dans le soleil. Dans cet uniforme, il se sent comme un soldat français oublié parmi les Anglais. C'était ce que devait ressentir Charles avant de partir. Malgré tout, il avait trouvé un moyen de continuer à combattre l'ennemi. De l'intérieur, avec des petits pains comme seule arme…

Une idée germe lentement dans l'esprit de Guillaume. Peut-être qu'il existe une façon pour lui de réparer le mal qu'il a fait ? Oui, peut-être…

Il retire l'uniforme et le range dans le coffre. Il descend dans la cuisine, où sa mère supervise la lecture de Jeanne pendant que Françoise surveille les linges à blanchir dans la marmite qui fume sur le fourneau.

— Mère, je sors, les oies sont de retour ! qu'il annonce en attrapant son chapeau.

Guillaume voit Catherine froncer les sourcils d'étonnement en entendant prononcer le mot « mère ». Elle ne dit rien et se contente de hocher la tête.

— Ne t'aventure pas trop loin, l'avertit Françoise.

— Et ne monte pas sur les remparts, ajoute Catherine.

— Non, mère.

Devant la froideur qui ne quitte pas le ton de sa mère, il quitte la maison avec un pincement au cœur. Mais bientôt le but de sa sortie lui fait tout oublier. Par où commencer ? Il a beaucoup de choses à vérifier.

* * *

Sitôt son potage et son pain avalés, Guillaume demande la permission de se lever de table. La permission accordée, il monte jusqu'à la mansarde, où il s'enferme à double tour. Il extirpe de sa culotte la serviette qu'il y a cachée. Pendant le repas, il a réussi à dissimuler deux tranches de pain entre lesquelles il a glissé un morceau de fromage de Cheshire, une sorte de fromage anglais que leur a donné le capitaine Fraser. Avec la poignée de raisins secs et la pomme qu'il a subtilisés dans le cellier à l'insu de Françoise, cela devrait suffire. Il place la nourriture avec les vêtements qui gonflent déjà le sac de toile. Il relit une dernière fois les notes qu'il a rédigées après avoir observé les installations des Anglais dans la ville. Il vérifie l'exactitude du plan de Québec qu'il a dessiné, précisant le nombre de canons dans chacune des batteries, l'emplacement de tous les magasins de l'armée, la position exacte des sentinelles. Il a interrogé une religieuse sur le nombre de malades à l'Hôtel-Dieu. Le chevalier de Lévis pourra ainsi se faire une idée des effectifs de l'armée du général Murray. Pour s'immiscer dans le magasin, il a distrait les gardes postés à l'entrée en libérant une demi-douzaine de cochons de leur enclos. Les trois hommes ont employé suffisamment de temps à les rattraper pour lui permettre d'entrer, de parcourir les allées et constater de visu l'état des réserves de nourriture de la garnison. Bien sûr, il n'a pu tout voir. Le magasin des munitions était trop bien gardé. Mettre la main sur un plan d'attaque aurait été fabuleux, mais la paperasse qu'il a examinée sur le petit bureau de correspondance dans la chambre du capitaine Fraser ne contenait rien de spécial. Sa lettre se termine par une note qui spécifie que les Anglais ont été avisés par leurs espions que des navires français avaient quitté Montréal et Sorel pour Québec avec des centaines de soldats à leur bord. Or, le chevalier de Lévis doit savoir que le général Murray les attend de pied ferme.

Il refait l'inventaire des pièces de l'uniforme qu'il va emporter : rien d'encombrant, que ce qui peut lui être utile. Il range ce qui lui est inutile dans le coffre et va à la fenêtre pour la refermer. Le crépuscule peint le ciel de teintes fauves tandis que la rue Saint-Louis s'assombrit. Il ne lui reste qu'à attendre. Quelques heures encore. Il se sent fébrile.

Il entend une porte claquer et des voix de femmes résonner sur les façades des maisons. Deux silhouettes se déplacent sur la banquette. Guillaume se penche et les regarde disparaître dans la rue du Parloir. Émeline et madame Gauthier se rendent aux vêpres[6] célébrées à la chapelle des Ursulines. Monsieur Gauthier est parti ce matin pour L'Ange-Gardien avec ses deux fils, sa plus jeune fille et leur servante. Émeline et madame Gauthier sont restées pour aider Catherine avec son bébé. C'est une affaire de femmes, qu'elles disent. Ainsi, Guillaume en conclut que sa présence ne sera plus indispensable. Il sait qu'il peut faire quelque chose de plus utile que

_____

6. Office religieux célébré à la fin du jour.

sa quotidienne corvée de bois. Demain, il va rencontrer le chevalier de Lévis. Guillaume a décidé de rejoindre l'armée française et de défendre son pays aux côtés de Charles Giffard.

Guillaume referme enfin les battants et installe le loquet. L'obscurité remplit la mansarde. Émeline ne lui a plus reparlé depuis l'incident devant le cabaret du Griffon d'or. Il sait cependant que lorsqu'il rentrera glorieux parmi les hommes du chevalier de Lévis, elle ne pourra que revenir vers lui. Il va reconquérir Québec pour elle. Il va reconquérir le cœur d'Émeline. Aux intentions honorables revient l'honneur!

Chapitre 5

Un réveil brutal

Le heurtoir résonne dans la maison encore silencieuse. Suivent les pas de Françoise, occupée à préparer le petit-déjeuner. Il y a un moment de silence avant que retentissent ses talons dans l'escalier. Elle frappe à la porte de la chambre de sa maîtresse.

— Madame ! Madame ! Le général Murray et ses hommes sont ici !

Catherine surgit dans le couloir, en chemise de nuit, les cheveux en désordre, la mine froissée. Fraser apparaît à son tour dans le couloir, la mâchoire couverte de mousse blanche, son rasoir à la main. Catherine se sent défaillir. Elle s'accroche au bras du capitaine. Les rouages de sa pensée fonctionnent à toute vitesse. Il retourne dans sa chambre pour en revenir quelques secondes plus tard le visage propre.

— Venez avec moi, qu'il ordonne à Catherine.

— Je ne peux pas… gémit-elle. Que vais-je lui dire ?

Fraser demande à Françoise de retenir les enfants à l'étage. Il secoue doucement Catherine.

— Prenez sur vous, madame. Et, de grâce, faites ce que je vous demande.

Elle veut s'habiller, mettre de l'ordre dans sa coiffure. Il l'en empêche.

— Vous ferez un très bon, sinon un meilleur effet comme vous êtes, croyez-moi. Maintenant, restez clame et venez avec moi.

Il la prend par la main et l'aide à descendre l'escalier. Dans l'entrée, le général Murray attend, secondé de son secrétaire, Hector Theophilus Cramahé, du major Campbell of Ballimore et du capitaine Nairne, tous membres du conseil de guerre établi par Murray après la capitulation de Québec.

— *General Murray*, fait Fraser en lui adressant un salut.

— *Captain, good morning!* Madame, jé vous souhaite le bonne matine !

Paralysée contre le mur, Catherine a peine à répondre aux politesses du général. Ce dernier laisse un instant son regard glisser sur la tenue négligée de la dame avant de revenir vers Fraser.

— *How is Capitain Giffard's health, sir[1]?*
— *Not improving, I am afraid, my general[2].*
Le général fait mine de réfléchir.

— Nous avions convénou de procéder à l'interrogatoire ce matine, *Captain.*

— Oui, mon général, répond Fraser en prenant un air embarrassé. C'est que... l'état de santé du capitaine Giffard s'est dégradé, pour ne pas dire confirmé, cette nuit... Madame Giffard l'a veillé jusqu'à l'aube, raconte-t-il en se tournant vers Catherine. Comme vous pouvez le constater, *sir. I was just about to send you a word about it. Maybe it would be wise to wait one or two more days[3].*

Les officiers se consultent du regard. Le major Campbell, commandant des régiments highlanders à Québec, prend la parole.

— *Should I send for Surgeon Maclean? Maybe there is not much[4]...*

— Je pouis vous offrir les services de mon chirurgien personnel, suggère Murray,

---

1. Comment va la santé du capitaine Giffard?
2. Elle ne s'améliore pas, je le crains, mon général.
3. Je m'apprêtais justement à vous envoyer un mot à propos de cela. Peut-être qu'il serait plus sage d'attendre un ou deux jours.
4. Dois-je envoyer quérir le chirurgien Maclean? Peut-être qu'il n'y a pas tant...

dont le regard s'éclaire d'une lueur de suspicion.

Catherine ouvre la bouche, lance un appel à l'aide silencieux vers le capitaine Fraser. Son air sûr de lui la rassure suffisamment pour lui permettre de penser clairement. Elle redresse les épaules et prend la parole.

— Le capitaine Giffard a déjà été vu par la veuve Barbel.

— *The widow Barbel*[5] ? s'étonne le général.

— *Isn't that... witch, Madam's midwife*[6] ? le questionne sans discrétion le major Campbell.

Le commentaire fait rire les autres officiers. Un bruit à l'étage les fait taire et retient leur attention.

— Madame ! Madame ! crie Françoise en déboulant presque l'escalier jusqu'à eux.

Son expression est inquiétante.

— Votre Guillaume, Madame ! J'ai vérifié la mansarde. Il n'y est pas. Il est parti ! Il est parti !

Catherine croit d'abord à un brillant stratagème de sa servante pour les sortir de ce mauvais pas. Elle se compose un air affolé,

---

5. La veuve Barbel ?
6. Cette sorcière n'est-elle pas la sage-femme de madame ?

puis se tournant vers sa servante, note qu'elle ne feint pas son émoi. Ses genoux flanchent. Les bras de Fraser lui évitent de s'effondrer.

— Guillaume est parti ?

Comprenant qu'il n'a plus rien à faire là, Murray pose son tricorne sur sa tête pour annoncer la fin de la visite.

— *Captain Fraser*, dit-il sur un ton rigide, *by this situation, I see myself compelled to delay this... interview until a more appropriate moment. Report to me any signs of improvement as they appear in Capitain Giffard's condition*[7].

— Je le ferai, mon général.

— Bonne courage, madame. *Good day, Captain.*

Une minute plus tard, l'entrée est déserte.

— Vous avez été parfaite, Françoise, la complimente le capitaine Fraser, qui, comme Catherine, a soupçonné la ruse. Et vous, madame...

Le billet que Françoise tend à Catherine lui fait soudain comprendre qu'elles ne jouaient pas la comédie. Tremblant comme une feuille,

---

7. Capitaine Fraser, dans les circonstances, je me vois contraint de reporter cette... entrevue à un moment plus propice. Rapportez-moi tout signe d'amélioration quant à la condition du capitaine Giffard.

Catherine le déplie et le lit. Elle reconnaît l'écriture de son fils et a l'impression que tout l'air qu'elle respire s'en est allé avec le général Murray. Reprenant appui sur Fraser, elle lui tend le mot de Guillaume. Il le lit à voix haute.

Chère mère,

Je suis parti rejoindre père et son armée. Je vais réparer le mal que j'ai fait en aidant le chevalier de Lévis à gagner cette guerre. Père pourra rentrer glorieux à la maison et vous pourrez enfin avoir votre bébé en toute tranquillité. Ne vous inquiétez pas pour moi. J'ai pris soin d'emporter des vêtements chauds, des provisions et le pistolet de papa pour me protéger.

Votre Guillaume qui vous aime

* * *

Deux heures plus tard, les patrouilleurs rentrent bredouilles à Québec. C'est lourdement accablé du poids de son échec que Fraser revient dans la rue Saint-Louis. Ils n'ont pas retrouvé le fils de Catherine.

— Si Charles m'avait écoutée et n'avait pas joué les espions, rien de tout ceci ne serait arrivé, s'écrie Catherine.

Elle en veut tout à coup immensément à Charles de l'avoir abandonnée ainsi. Elle hait cette guerre qui lui a déjà ravi un premier mari et qui risque de lui en voler un autre, en plus de lui arracher un fils. Et pour comble, si le bébé vient à naître prématurément, elle pourrait le perdre aussi.

— La guerre, gémit-elle, n'est qu'un prétexte pour que les hommes se couvrent de gloire. Dites-moi, au fond, quelle gloire est-ce qu'on gagne à briser la vie de ceux qu'on aime, à faire de sa femme une veuve et des orphelins de ses enfants ? demande-t-elle en soulevant ses paumes vers le ciel.

— Bien peu, avoue presque honteusement Fraser.

— La gloire ne devrait appartenir qu'à Dieu. Et maintenant, c'est au tour de Guillaume de vouloir sa part. Il n'est qu'un enfant !

— C'est déjà un jeune homme, fait remarquer l'Écossais.

— Un jeune homme qui ne connaît rien de la guerre. Les deux armées vont bientôt se faire face. Guillaume risque de se retrouver entre deux feux, armé d'un pistolet qui n'a pas servi depuis des années. Il ne sait même pas comment se servir d'une arme à feu.

Fraser se met à marcher nerveusement de long en large dans le salon. Cette situation l'embarrasse au plus haut point.

— Je fais poursuivre les recherches afin de retrouver votre fils. J'ai envoyé des hommes sur le chemin de Sainte-Foy et un autre détachement ratisse le secteur de Sillery. Je doute qu'un garçon de son âge puisse aller bien loin. Madame, je pense honnêtement qu'il faut aviser votre mari de ce qui arrive. Peut-être que de son côté il parviendra à le retrouver avant nous.

— Comment faire pour le joindre? réplique-t-elle en essuyant ses yeux qui ne dérougissent plus. Il n'y a plus personne ici apte à faire le voyage jusqu'à la Jacques-Cartier. Vous ne vous imaginez tout de même pas faire porter ma lettre par l'un de vos hommes?

Simon Fraser réfléchit. Lui vient soudainement une idée. Les derniers évènements, quoique dramatiques, peuvent leur servir.

— Je vais aviser le général du départ de votre mari, dit-il soudain.

— Quoi? s'écrie Catherine.

— Faites-moi confiance. Qui pourra lui reprocher d'avoir voulu partir secourir son fils? De cette façon, l'honneur du capitaine Giffard est sauf sur les deux tableaux.

Chapitre 6
Une mission dangereuse

Guillaume ouvre les paupières. Sur le coup, à la vue des murs de pierre nus, il se croit dans un rêve. Puis il se rappelle. Il est dans le moulin Dumont. Il a franchi les murs de Québec à la faveur de la nuit. Lors du changement de garde, il s'est faufilé par la porte du Palais. Puis il a marché sur le chemin Saint-Vallier jusqu'au chemin de la côte Sainte-Geneviève pour rejoindre le chemin de Sainte-Foy. Voyager seul au plus noir de la nuit n'ayant rien de plaisant, il a décidé de s'abriter dans le moulin désaffecté jusqu'à ce que les premières lueurs de l'aube lui éclairent la voie.

Une lumière cendrée remplit le bâtiment. Comme la plupart des maisons sur cette portion de route qui fait face aux plaines, le moulin n'est guère plus que le jouet du vent et abrite les pigeons et les hirondelles depuis le jour de la bataille sur la plaine d'Abraham. Par le mur percé par un boulet, Guillaume constate qu'une partie du jour a progressé sans lui. Combien de temps a-t-il dormi? Quelle heure est-il? Impossible de le savoir quand le soleil se cache derrière un ciel voilé. Il a trop perdu de temps et doit absolument se remettre en route.

Il va prendre son sac près de lui quand un reniflement sonore l'arrête. Le sac bouge tout seul! Un animal fouille ses affaires! Il espère voir surgir un écureuil ou un raton laveur. Une paire de petits yeux brillants l'observe un moment. Le souffle de Guillaume se coince dans sa gorge et il reste aussi immobile que possible tandis que, sans se préoccuper de sa présence, l'animal retourne fureter dans le sac. Sa queue noire et blanche se dresse dangereusement. Il n'ose même plus respirer. Les minutes s'écoulent. Quand la moufette en a assez, elle s'extirpe du sac avec l'objet de sa convoitise et s'éloigne tranquillement vers la sortie, où elle disparaît aussitôt... Dans sa gueule, le morceau de fromage de Cheshire!

Guillaume laisse passer quelques minutes de plus avant de bouger. Il saisit son sac et éparpille son bagage sur le plancher. Ce qu'il craint se confirme : la vilaine bête a avalé toutes ses provisions! Il n'a plus un raisin sec à se mettre sous la dent. Comment va-t-il pouvoir parcourir une dizaine de lieues sans manger ?

— Espèce de sale bête puante ! qu'il hurle de colère.

Coin ! Coin ! Coin ! entend-il avec son écho. Il ramasse rapidement ses affaires et se précipite dehors. Dans le ciel blafard passent des volées d'oies blanches en formation. Il les distingue à peine, mais il les entend clairement. Chaque fois qu'il se questionne sur ce qu'il doit faire, les oies surgissent dans le ciel. Son père lui indique qu'il veille sur lui. Cette certitude suffit pour redonner à Guillaume tout son courage. Il gagne la route en courant tant il se sent ragaillardi.

Tandis qu'il avance, il se souvient du terrible vacarme de la bataille de septembre. Moins d'une semaine après, Québec tombait aux mains de l'ennemi. Mais Québec, ce n'est pas toute la Nouvelle-France, dit tout le temps Charles Giffard. Charles est un homme d'honneur qui n'abdiquera jamais. Même prisonnier dans sa propre maison, il a trouvé le moyen de lutter contre l'envahisseur. Et lui, Guillaume, a décidé qu'il va l'aider. Il va faire tout ce qu'il peut pour refouler les Anglais hors de la Nouvelle-France.

Il passe devant une croix de chemin plantée en bordure de la route qui mène à Sainte-Foy. Il découvre sa tête et formule une prière pour que les Anglais soient bientôt renvoyés chez eux avec du plomb français dans les fesses. Surtout dans celles d'Angus. Il replace son bonnet et fait trois pas, s'arrête, médite et revient en arrière.

— Mais pas trop dans celles du capitaine Fraser, que j'aime bien, ajoute-t-il avant de repartir pour de bon.

Une fine bruine rend le paysage flou et imprègne son capot, qui s'alourdit. Pour ne pas attirer l'attention, il a pensé couvrir l'uniforme de son père. Mais il se sent à l'étroit sous la double épaisseur et il a chaud. Au moins, cela a l'avantage de le tenir au sec. Il regarde les nuages qui prennent une couleur de plomb au-dessus des montagnes et prie encore pour qu'il ne pleuve pas. Il progresse lentement sur la chaussée crevée et fangeuse et en profite pour siffler un air qui donne le rythme à ses pas.

— *Hey, you, lad!*

Guillaume tourne la tête. Fusil en main, trois soldats en kilt arrivent sur la route derrière lui.

— *Think we found him, Caporal[1]!*

— *Get hold o' him, but dinna hurt the lad[2]!*

Guillaume ne comprend rien à ce qu'ils se disent, mais il saisit très bien que c'est à lui qu'ils en veulent. Le prend-on pour l'ennemi ? Son capot n'est pas suffisamment long pour camoufler entièrement le justaucorps et l'ourlet qui dépasse laisse voir les couleurs blanc grisâtre et bleu de la France. Résolu à ne pas se laisser attraper, il prend la fuite. Il vole littéralement par-dessus un fossé, glisse à l'atterrissage et manque de se retrouver dans l'eau opaque. Ses ongles et ses pieds creusent la paroi de la berge et il parvient à se hisser sur le bord. Ses jambes labourent la terre ramollie au même rythme que les battements de son cœur. Il file droit vers la falaise qui surplombe la vallée Saint-Charles. La descente s'annonce aussi périlleuse que celle d'un mur de forteresse. Mais les voix des soldats qui le poursuivent s'approchent et l'obligent à prendre des risques. Guillaume s'accroche aux branches, dérape sur le roc qui s'effrite

---

1. Je crois que nous l'avons trouvé, caporal !
2. Attrapez-le, mais ne lui faites pas de mal !

sous son poids. Il manque de basculer dans le vide. Le souffle haché, il cherche une prise sur la paroi abrupte. Son sac lui échappe et rebondit sur les rochers pour s'arrêter plus bas dans une ravine où de petits arbustes poussent, arrosés par une rigole. Pour le récupérer, Guillaume doit dévier de sa trajectoire. Il n'ose pas se retourner. Il écarte l'épaisse végétation, bondit par-dessus les racines et les sources comme un daguet[3] poursuivi par des chasseurs. Il est si concentré à contrer les obstacles, qu'il remarque à peine qu'il a pénétré un bois. L'inclinaison du terrain diminue progressivement et il débouche soudain sur une chaussée. Le voilà de retour sur le chemin Saint-Vallier. Ses poumons et sa gorge sont en feu. Il n'entend plus ses poursuivants. La nature est immobile et seuls quelques oiseaux s'égayent autour de lui.

Peut-être qu'il ferait mieux de continuer sur cette voie. Le bois la borde sur une bonne distance. Cela lui permettra de se cacher si jamais on l'aborde de nouveau. Il pourra toujours remonter sur le plateau de Sainte-Foy un peu plus loin et prendre le chemin du Roi jusqu'à la rivière Jacques-Cartier.

---

3. Jeune cerf.

Le chemin est jalonné d'habitations isolées flanquées de leurs dépendances. Les champs qui s'étirent jusqu'à la rivière Saint-Charles sont encore couverts d'îlots de neige tandis que les sillons gravés par les labours d'automne sont remplis d'eau. Ils accueillent des oies par dizaines. Les oiseaux fouillent la terre en quête de nourriture et font le plein d'énergie avant de reprendre la voie du ciel pour rejoindre les lieux où elles passeront l'été. Personne ne vaque à ses tâches matinales. Il n'entend pas non plus les coqs, les chiens et le bétail se réveiller. Les pâturages sont vides. Tout ce silence le désole et l'inquiète. Guillaume a l'impression d'être seul dans son pays. Comme pour le rassurer, une cloche se met à sonner. Il cesse de siffloter et lève la tête vers le plateau qu'il longe. L'église de Notre-Dame-de-Foy[4] n'est pas loin, constate-t-il avec bonheur. Trois coups tintent, suivis d'une volée. C'est l'angélus[5]. Midi déjà? À ce

---

4. Ancien nom de la municipalité de Sainte-Foy fusionnée aujourd'hui à la ville de Québec.
5. L'angélus est sonné par les cloches des églises catholiques trois fois par jour, soit à 6 h, à 12 h et à 18 h, pour célébrer le mystère de l'Incarnation, qui est l'incarnation de Dieu en la personne humaine de Jésus-Christ. La tradition voulait que l'on s'agenouille et que l'on prie la Vierge Marie lorsqu'on entendait l'angélus.

rythme, il n'atteindra jamais le fortin avant la tombée de la nuit.

Une goutte d'eau lui glace la nuque. Il change son sac d'épaule et regarde vers le ciel. La pluie commence à tomber. Guillaume grimpe la pente, beaucoup moins abrupte à cet endroit. Lorsqu'il aperçoit la flèche de l'église, il sait qu'il pourra trouver refuge là. La maison de Dieu est ouverte à tous ses enfants.

Il passe devant l'auberge du Coq Bleu. Il croise plusieurs soldats anglais en armes. Des chevaux tirent des canons sur des batteries construites en bois. Les artilleurs en place dirigent les bouches à feu vers la basse plaine de la vallée Saint-Charles et la côte de la Suette[6], qui mène jusqu'à L'Ancienne-Lorette. « *Hurry! Hurry! Yes, sir!* » et « *God damned Frenchmen!* ». Guillaume arrive à comprendre quelques mots de ce que disent les hommes. Un groupe arrive dans sa direction, fusil en bandoulière, hache et scie à l'épaule. Ils escortent deux chariots chargés de troncs d'arbres.

---

6. Ces marais se trouvaient sur le site actuel des lacs Laberge, à l'ouest de l'autoroute 73, à Québec. On les retrouve parfois sous le toponyme de la Suète ou la Suède.

Une équipe de coupeurs de bois de chauffage qui rentre à Québec avec le fruit de plusieurs jours de travail. Guillaume avait oublié que le village de Sainte-Foy était occupé par des troupes anglaises et servait de poste d'avant-garde pour la garnison de Québec. Apparemment, elles se préparent activement à une attaque des Français. L'armée du chevalier de Lévis serait-elle déjà si près ?

Tout le monde se presse et on ne fait pas vraiment attention à lui. Il va tête baissée, évitant les quelques regards curieux qui se tournent sur son passage. Mine de rien, il note mentalement tout ce qu'il voit. Il compte le nombre de soldats et les pièces d'artillerie. Quelques précieuses informations de plus à transmettre aux Français. Il s'arrête devant l'église. Le bâtiment de pierre est ceint d'une solide palissade de pieux. Trois soldats font le piquet à l'entrée. Les Anglais ont fait un bastion fortifié du lieu sacré des Canadiens français ! Quel culot !

— Torrieu d'Anglais, qu'il siffle entre ses dents.

— *D'ye say, boy ?* fait l'une des sentinelles.

Guillaume ne répond pas et tourne le dos à l'église. Les gouttes d'eau froide s'écrasent maintenant sur ses joues et coulent dans son dos entre ses omoplates. Il rabat son capuchon sur son bonnet. Une poigne le saisit par l'épaule et le fait pivoter. La sentinelle écarte les pans du capot, que Guillaume a déboutonné afin de bouger plus aisément, et dévoile l'uniforme qu'il porte.

— *What the...* qu'il commence.

Guillaume se dégage de la prise et se sauve.

— *Hey! Come back, ye little French bastard*[7]*!*

Encore une fois Guillaume court et fuit. Un coup de feu claque comme le tonnerre dans ses oreilles. Il pousse un cri et tombe sur le chemin. Ses mains s'enfoncent dans la boue jusqu'aux poignets. Son sac roule loin devant. Il le regarde à travers le rideau de pluie qui s'abat maintenant sur lui. Il s'attend à ce que la pointe d'une baïonnette pique son dos. Mais rien ne se passe. Alors il ose un regard derrière. Le soldat l'observe de loin, riant de la frousse qu'il vient de lui donner. Le malotru! Son cœur tambourinant de frayeur et de colère, Guillaume se redresse et ramasse son sac. De toute évidence, il ne trouvera pas d'abri ici. Se rendre jusqu'à la rivière Jacques-

---

7. Hé! Reviens ici, petit bâtard de Français!

Carter ne s'annonce pas aussi simple qu'il l'avait pensé.

* * *

Quelque chose effleure sa joue. Guillaume grogne et balance une main molle pour l'éloigner. La chose revient, froide et humide.

— Arrête, Jeanne, marmonne-t-il en se retournant.

On le laisse tranquille et il se rendort. Puis un beuglement le ramène brutalement à la réalité. Le cœur lui rompant la poitrine, Guillaume se soulève sur sa couche. Une paire d'yeux ronds d'un noir velouté le fixe avec curiosité. Une vache! La bête beugle une seconde fois et s'éloigne d'un pas nonchalant. Tandis que son esprit se libère graduellement de l'emprise du sommeil, son regard scrute l'intérieur de la grange. Oui, cela lui revient. Il a aperçu le bâtiment et s'y est abrité pour laisser sécher ses vêtements en attendant que cesse la pluie. Elle n'a cessé de tomber avant que l'habitant vienne pour le train du soir. Guillaume a dû rester caché jusqu'à ce qu'il reparte. Quand il a voulu sortir de la grange, il a trouvé la porte cadenassée de l'extérieur. L'habitant l'avait enfermé avec sa vache pour la nuit. Guillaume a appelé à l'aide. Mais la maison étant trop éloignée, personne ne l'a entendu. Il a donc dû se résigner à passer la nuit sous un tas de foin.

Guillaume s'extirpe de la paille qui le tenait au chaud. Le froid le fait frissonner. Il éternue, étire ses muscles ankylosés et secoue son capot que piquent les brins de paille. Son ventre émet un puissant borborygme. L'avoir entendu, Françoise se serait esclaffée : « T'as avalé des grenouilles, ma parole ? » Il fouille l'intérieur du bâtiment en quête de quelque chose à se mettre dans l'estomac. Il ne trouve rien de comestible... hormis la vache qui lui tient compagnie.

— Dis-donc, ma belle, combien de bons rôtis je ferais de toi ? C'est un miracle que les Anglais ne t'aient pas taillé en morceaux. Ton propriétaire fait bien de te garder cachée dans sa grange.

Quoique la vache pourrait lui procurer autre chose que des succulents rôtis pour satisfaire momentanément sa faim... Il s'approche doucement. Les vaches sont facilement impressionnables et il faut agir avec douceur autour d'elles. C'est son oncle Denis, qui habite dans la seigneurie de Beaumont, qui le lui a appris. Il avait une vache brune comme celle-ci qui s'appelait Fleur.

Guillaume tend la main et caresse le mufle humide.

— Tu n'aurais pas un peu de lait pour moi, ma belle Fleur ?

Après l'avoir amadoué avec une poignée de foin, il s'arme d'un sceau, approche un tabouret et se penche sous le docile animal. Il manipule ses trayons pour en tirer un peu de lait. Au bout de deux minutes, à peine quelques gouttes perlent au bout des pis. Guillaume s'impatiente et tâtonne les mamelles, les trouve fort épuisées.

— Ben quoi, le fermier est déjà passé ?

Guillaume fait une dernière tentative. Il ne remarque pas la queue qui se soulève ni le dos qui rondit. Il a très envie de bon lait frais et mousseux.

— Fais-moi plaisir, ma belle Fleur, donne-moi un p'tit quelque chose…

Les pattes de la vache se tendent. Survient un son étrange, suivi d'un floc ! floc ! floc ! Une substance brune et molle forme un petit monticule à deux pas de la botte de Guillaume. Une autre contraction fait jaillir un jet qui vient agrandir l'immonde galette que contemple Guillaume d'un air déçu.

— Ce n'est pas tout à fait le p'tit quelque chose que j'espérais…

Il abandonne Fleur et ramasse son sac. Il trouve la porte de la grange déverrouillée et glisse discrètement dehors. De la cheminée de la maison du paysan, s'échappe un filet de fumée. Sur le porche, deux chiens qui se disputent un bout de bois flairent Guillaume et s'arrêtent de jouer. L'un des deux se met à grogner dangereusement. Guillaume pense qu'il serait plus sage de mendier ailleurs de la nourriture.

Ainsi entame-t-il la deuxième journée de son périple. Le vent porte l'odeur de la terre des champs qui dégèlent. Il traverse une dense forêt et rejoint un plateau dominant une vallée qu'il n'a jamais vue. Une rivière y trace ses méandres avant de se jeter dans le fleuve, couvert d'une armada de blocs de glace morcelés. Le courant les emporte doucement. La grève est un champ de glace fixe. C'est par là que Guillaume va passer la rivière. Il entreprend la descente de la côte vers la baie, au bord de laquelle s'agglomèrent quelques maisonnettes. Il sait que le promontoire sur lequel il se trouve est celui de Cap-Rouge, et qu'il y a là aussi un poste d'avant-garde anglais.

Cette fois, pour ne pas soulever les soupçons des gardes, il a pris soin de bien fermer son capot et de raccourcir son uniforme à la ceinture. Avec son sac, on ne le prendra que pour un simple vagabond voyageur. Il a aussi pensé placer son pistolet et sa giberne[8] à portée de main, dans ses grandes poches. Ainsi, il ne sera pas pris au dépourvu, advenant qu'un Anglais lui cherche noise.

Tout le temps qu'il marche, Guillaume entend des sons étranges. Des grincements et des craquements résonnent dans l'air. Ce sont les glaces dans le fleuve qui se brisent et s'entrechoquent en s'empilant sur les rives. Tous les printemps, le fleuve fait de grands bruits quand son couvert d'hiver cale. Il les entend surtout la nuit, quand tout le monde dort. Ce sont des bruits sinistres qui évoquent une marche de géants sur la glace qui cède sous leur poids. Au fur et à mesure qu'il approche, Guillaume hume les effluves qui émanent des installations des Anglais, occupés à préparer leur petit-déjeuner. Il a faim. Mais pas encore au point de mendier auprès de l'ennemi. Ce qui lui fait penser... Il tapote son capot, là où il a caché les informations destinées au chevalier de Lévis. Le faible craquement du papier le rassure.

---

8. Boîte dans laquelle les soldats conservaient leurs munitions d'arme à feu.

L'ennemi, il l'aperçoit se réchauffer autour des feux allumés dans les cours des habitations. Il le voit aller et venir dans les postes d'observation accrochés au flanc de l'escarpement. Il s'active comme à Sainte-Foy. Un martèlement de sabots l'alerte.

— *Give way! Give way!*

Guillaume s'écarte promptement du chemin. Un cavalier arrive par la route, le double et poursuit sa course jusqu'au village. Une estafette[9]?

Ses cris provoquent un remue-ménage parmi les troupes du poste. Vient-il annoncer la proximité des Français? Guillaume sent l'excitation s'emparer de lui. Il en oublie sa faim et finit de franchir la dernière portion de la côte en courant. Il rejoint les soldats qui se sont avancés sur le bord du fleuve. Il scrute le large, mais il ne décèle aucun navire. Que des glaces se déplaçant au gré du mouvement de l'eau. Il se tourne vers l'autre rive. Sur les terrasses surélevées qui lui font face, la ligne d'horizon se dentelle de pignons des maisons et de futaies chevelues. Les silhouettes squelettiques de quelques arbres isolés font penser

---

9. Une estafette est un soldat chargé du transport des dépêches entre les différents postes de l'armée.

à des spectres solitaires perdus dans la grisaille. Il n'y a pas d'armée de milliers d'hommes en vue. Mais ça ne saurait tarder parce que Guillaume perçoit la nervosité des Anglais. Il en tire ses conclusions. Les Français sont là, tout près. Il le devine. Il le sent. Il se précipite vers la baie. Le temps presse. Ses talons s'enfoncent dans une sorte de gadoue. Des appels résonnent. Les Anglais l'interpellent. Ont-ils deviné ses intentions ? Sa mission ? En aucun cas, il ne doit s'arrêter. Jamais ! Il glisse et tombe. Son sac atterrit dans l'une des mares d'eau que la pluie a laissée. Guillaume court à quatre pattes pour le reprendre. A-t-il senti la glace vibrer sous ses paumes ? Il s'arrête. Ses sens en alerte, Guillaume attend. Une série d'horribles craquements et de grincements plus forts que les précédents font trembler la surface. Il projette son regard au large. À quelques toises à peine, une fissure dessine un trait sombre parallèle à la rive. Le couvert de glace se soulève dans un grondement sourd. C'est la débâcle !

Les grincements et les craquements évoquent une construction sur le point de s'effondrer. Il ressent presque toute la puissance retenue comme un ressort sous lui. La pointe d'un bloc émerge tel un glaive hors de l'eau et grimpe sur la glace. D'autres blocs se détachent, se soulèvent et s'accumulent sur le couvert. C'est fascinant et terrifiant à la fois. Guillaume est obnubilé. Jamais encore il n'a vu une débâcle d'aussi près.

— *Come back, young man! 'Tis too dangerous to cross the river*[10] ! hurle un homme.

Sur la rive, les Anglais se rassemblent, d'autres s'aventurent sur la glace et viennent vers lui. La rupture et la friction des glaces provoquent maintenant un grondement continu et des blocs s'accumulent peu à peu sur les rives et le couvert de la baie encore gelée. La peur paralyse Guillaume. Un bruit détone dans l'air comme un coup de canon. Il sent une vibration plus intense. Une lézarde noire trace son chemin dans sa direction. Elle ouvre en deux la glace, que l'eau libérée commence à recouvrir. Il veut crier, mais sa voix reste coincée dans ses poumons. L'instinct lui dicte de rouler sur le côté. Juste à temps pour voir la lézarde passer près de lui. Il roule et roule encore. L'eau rampe à toute vitesse sur la glace qui cale. Elle va l'engloutir. Il va se noyer…

---

10. Revenez, jeune homme! C'est trop dangereux de traverser la rivière!

Contre toute attente, il sent sont corps se soulever dans les airs. Deux soldats le placent dans une petite chaloupe. Un pied à l'intérieur de l'embarcation, ils la propulsent sur la glace avec l'autre pied.

— *Stupid lad!* s'écrie l'un d'eux.

— *Lucky boy*, dit l'autre.

On le ramène sur la rive.

— Mon sac, gémit Guillaume.

Le sac contenant ses vêtements de rechange est perdu. Guillaume palpe discrètement son capot et sent avec soulagement son pistolet et sa giberne. Et encore, les informations pour le chevalier de Lévis cachées dans une poche intérieure de son justaucorps. Il a l'essentiel. Une fois en sûreté sur la terre ferme, les Anglais lui servent dans leur langue une leçon de morale à laquelle il ne saisit que quelques qualificatifs peu flatteurs. Puis ils le laissent tranquille pour retourner vaquer à leurs occupations. Seul devant la baie que le fleuve envahit, Guillaume fourre ses mains gelées dans ses poches. Il est déçu. Comment traverser maintenant?

— *Ye all right, lad*[11]? fait une voix franche près de lui.

---

11. Tu vas bien, garçon?

Un jeune soldat le dévisage. Il s'approche. Son air se veut amical. Il lui pose une question que Guillaume n'arrive pas à traduire. L'accent est très différent de celui des Écossais, auquel il s'est habitué.

— Je voulais traverser de l'autre côté, murmure Guillaume, en désignant l'autre rive de son index.

L'Anglais regarde dans la direction indiquée. Il prend un temps pour saisir. Puis il hoche la tête.

— *Ye live there? Yer home there*[12] ?

Le soldat se met à réfléchir. Il lui fait signe de rester où il est et s'en va rejoindre les deux hommes qui l'ont secouru. Puis il revient avec l'un d'eux en tirant l'embarcation.

— *Hop in, lad! Well' cross ye home in no time*[13] !

Le jeune homme l'invite à prendre place. Guillaume est d'abord hésitant. Mais le désir de traverser le pousse à accepter.

L'expédition ne prend que quelques minutes. Guillaume est déposé sur l'autre rive. Le soldat qui l'a abordé lui tend la main.

---

12. Tu habites là? Ta maison se trouve là?
13. Embarque, mon gars! On va te traverser dans le temps de le dire!

— *My name is Daniel.*

— Le mien est Guillaume, se présente-t-il à son tour. Merci, monsieur Daniel.

— *It was my pleasure*, Guillaume. *Have a safe journey home*[14].

Ils se serrent la main, se saluent du chef, puis se quittent.

* * *

Guillaume a si faim qu'il dévorerait les semelles de ses bottes, même encrassées de boue. Elles lui semblent si lourdes, ses bottes. Sa foulée s'écourte et son rythme de marche ralentit. Bien que l'idée de mener à bien sa mission l'encourage à continuer malgré tout, il doit trouver quelque chose à se mettre sous la dent. Depuis qu'il a quitté Cap-Rouge, il n'a croisé aucune maison sur la route. Un ruisseau qui coupe le chemin l'arrête. C'est le ruisseau de la décharge du lac Saint-Augustin. Malheureusement, le ponceau qui l'enjambait a été détruit, probablement par les Anglais, qui font tout pour retarder l'arrivée des Français, dont Guillaume n'a observé la présence nulle part. Il est déçu et inquiet. Il se

---

14. Ce fut un plaisir, Guillaume. Bon retour à la maison.

demande si l'armée de Lévis se dirige vraiment vers Québec, comme semblent le croire les Anglais. Et si elle avait plutôt rebroussé chemin vers Montréal à cause des glaces? Il contemple le ruisseau que le printemps a gonflé comme un torrent. Un nouvel obstacle à franchir. Guillaume commence à douter. Ferait-il tout ce trajet pour rien?

Un mouvement sur le bord de l'eau le sort de ses réflexions. Une bête plonge. Un rat musqué! Il paraît que la chair du rat musqué n'est pas mauvaise. Pourquoi ne pas chasser un peu?

La giberne de son pistolet ne contient que quelques cartouches. Il devra se montrer économe et ne tirer que lorsqu'il sera certain de son coup. Guillaume a souvent manipulé le pistolet de son père. Mais il n'a jamais chargé une arme, encore moins tiré sur une cible. Il a souvent vu son père et Charles le faire. Il doit déchirer la cartouche, reculer le chien muni du silex, mettre un peu de poudre dans le bassinet pour l'amorce et refermer le bassinet. D'un coup de baguette, il tasse la balle et la bourre bien au fond du canon. Ce n'est pas sorcier. Il lui suffit maintenant de débusquer le rat musqué, de le viser et de l'abattre.

Le défi l'excite. Une fois l'arme chargée devant lui, son cœur se met à battre plus fort.

— Ouah! qu'il souffle.

Curieusement, il la trouve moins lourde qu'avant. Il marche le long du ruisseau. Les herbes aquatiques ondulent comme des chevelures de sirènes dans l'eau noire qui tourbillonne. Il y pousse aussi des quenouilles que l'hiver a desséchées. La neige a fondu et ne subsistent plus que des corniches de glace au-dessus du cours d'eau. Guillaume lance un caillou à l'endroit où il a vu l'animal disparaître et attend. Rien ne bouge. Il s'aventure un peu plus loin, l'œil et l'ouïe aux aguets. Un mouvement furtif produit des vaguelettes qui troublent l'onde. Il scrute la végétation et voit apparaître un museau, qui s'efface aussitôt. La tête du rongeur refait surface un peu plus loin. Il n'a pas de temps à perdre. Il ferme un œil, pointe le canon et appuie sur la détente. Elle refuse de bouger. Il appuie encore. Rien ne se produit. Qu'est-ce qui se passe? Il appuie à nouveau sur la détente. Le mécanisme est définitivement bloqué. Pourtant, le pistolet fonctionnait correctement l'été précédent. Il avait failli blesser Émeline dans le vieux hangar où il avait projeté de tendre un piège à Jacquelin. Il avait voulu se venger après que son ami l'eut traité de poltron. Frustré, Guillaume voit le rat plonger et disparaître pour de bon.

Le mécanisme doit être rouillé après avoir passé autant de mois dans le coffre de la mansarde ! Dépité, il range son pistolet et la giberne. Son estomac se plaint. De l'autre côté, il repère deux maisons. De la fumée s'échappe de la cheminée de l'une d'elles. Elle est habitée ! Guillaume doit trouver un moyen de traverser. Un chemin longe le ruisseau, descend une pente assez raide jusqu'au fleuve. Tout en bas, il entrevoit la toiture de bois d'un édifice. Le moulin banal[15] de la seigneurie de Maure. L'expérience qu'il vient de vivre à l'embouchure de la rivière du Cap Rouge le décourage de tenter l'expérience de nouveau. Il doit plutôt chercher en amont un tronc d'arbre jeté en travers du ruisseau, sinon, avec plus de chance, un gué.

Il prend plus d'une heure avant de trouver un endroit où la glace recouvre encore le cours

---

15. Un moulin banal est un moulin qui appartient au seigneur d'une seigneurie. La seigneurie de Maure est le territoire qui comprend aujourd'hui le village de Saint-Augustin-de-Desmaures.

d'eau. Muni d'un bâton, il a testé la solidité de la surface avant de s'y aventurer. Un bâton n'a pas le poids d'un garçon. Il a juste le temps de bondir sur la rive opposée quand la surface cède sous lui, laissant apparaître un gouffre dans lequel grondent les eaux tumultueuses.

Le ciel est si sombre qu'on pourrait croire être à la tombée du jour. Le son de l'angélus résonne au loin. Dans la campagne, où les paysans ne possèdent souvent pas de pendule, encore moins de montre, c'est le carillon qui règle le quotidien. Il rappelle aussi à Guillaume qu'il est midi. Jamais il n'a connu une faim aussi intense. Les aventures de l'avant-midi ont tiré ce qui lui restait d'énergie. Il traîne les pieds jusqu'à la première maison. Quelle honte il ressent à quémander un repas !

— Pas de quêteux ! s'écrie une femme, maigre comme un clou. J'ai déjà neuf bouches affamées à remplir et pas un sol[16] pour le faire. J'ai pas vu mon mari depuis six luncs ! Allez chez la voisine !

— Ah ! Le coquin ! hurle le mari de la voisine, quelques arpents plus loin. C'est-y pas honteux de venir voler mon clapier pis d'oser quémander une gamelle !

_____

16. Unité de monnaie de l'époque.

— J'ai pas...

— Pis y ment, en plus?

— Mais...

— Pas de mais icitte! Fiche-moi le camp, mon p'tit sacripant!

Malgré sa grande faiblesse, c'est en courant que Guillaume fiche le camp. Quand il s'estime suffisamment loin pour ne pas subir les foudres de l'habitant, il prend le temps de souffler. Les poumons en feu, il lance un regard vers la prochaine maison sur la route. Elle lui paraît si loin. Pas moins de trois arpents l'en séparent. Le découragement envahit Guillaume et il se laisse tomber sur son postérieur. Il n'y arrivera jamais. Il a froid maintenant et une douleur lancine son pied droit. Il doit avoir une ampoule. Il repense au but de sa présence ici. Il n'a pas le droit d'abandonner. Les Français ne doivent pas être si loin. Peut-être qu'après quelques minutes de repos...

Un long grondement se fait entendre au loin. Cela ressemble à un roulement de tambour. Mais aussi au tonnerre. C'est un peu tôt dans la saison pour entendre le tonnerre, qu'il remarque, bien que les nuages soient aussi noirs que la nuit. Il va encore devoir trouver un abri contre la pluie.

— Torrieu de ver de terre écrabouillé!
s'exclame-t-il.

Cela va le retarder encore une fois. Il n'a
vraiment pas de chance. Laissant son regard
se promener dans le paysage, il souffle sur ses
doigts rougis par le vent qui vient du fleuve.
Ses mitaines sont restées dans son sac, qu'il a
perdu. Les terres cultivées par les paysans
s'étirent par bandes jusqu'à la forêt, qui déli-
mite la profondeur des concessions. Comme
partout où il est passé, les pâturages sont vides
de bétail. Entre deux champs, un bouquet
d'arbres marque le site où sont rassemblées
en tas les pierres arrachées du sol pour éviter
que le soc du laboureur s'y brise. Elles servi-
ront ultérieurement pour la construction
d'une nouvelle maison. Tiens donc! Il vient
de voir une petite lueur jaillir entre les arbres.
Guillaume regarde vaciller cette petite lueur
pendant un moment. Puis émerge dans son
esprit l'idée qu'il peut s'agir de l'armée française qui bivouaque à cet endroit.

Guillaume traverse le champ jusqu'à la
forêt. Son ventre qui hurle famine ne l'incom-
mode plus, non plus qu'il ne sent la douleur
que lui cause son ampoule. Le feu l'attire
comme un aimant. Il imagine déjà la tête de
Charles Giffard en le voyant arriver. La fierté

qu'il va ressentir quand Guillaume va remettre au commandant des troupes françaises les dernières informations qu'il a recueillies sur la garnison de Québec, auxquelles il peut ajouter ce qu'il a constaté à Sainte-Foy et à Cap-Rouge. On va le féliciter de son audace, applaudir sa bravoure. Les flammes dorent le tronc des bouleaux blancs et font frémir les rameaux des épinettes. Une nappe de fumée s'étend au-dessus de la cime des arbres. Avant même de voir âme qui vive, Guillaume renifle et devine un repas qui rôtit. Quel bonheur !

Il accélère le pas. Les crépitements du feu sont maintenant perceptibles. Mais il ne voit personne. Où est passée l'armée ? Pour qui brûle donc ce feu, alors ? Guillaume s'approche. Il entrevoit une silhouette assise à même le sol. Elle lui tourne le dos et semble surveiller sur une broche... un lapin !

— Torrieu de coquin de p'tit diable ! qu'il fait entre ses dents.

Le voleur de lapin !

À son gabarit, Guillaume juge qu'il s'agit d'un garçon d'environ son âge. L'inconnu penche la tête et courbe le dos, manifestement occupé à faire quelque chose. Guillaume scrute les alentours. Il est apparemment seul

Guillaume convoite l'appétissant lapin embroché et il salive. C'est à cause de ce coquin de voleur qu'il a encore le ventre vide. Voleur volé, le diable en rit! Où sera la faute? Ha! Ha! Sans faire de bruit, il sort son pistolet et tâtonne l'herbe autour de lui. Il ne prend pas longtemps à mettre la main sur une pierre.

À pas comptés, il s'approche plus près et se cache derrière un tronc. Il vise et lance la pierre. Elle ricoche sur un arbre plus loin et fait craquer les feuilles mortes qui jonchent le sol. Le voleur lève la tête et cesse tout mouvement. Quelques secondes passent. Guillaume lance une deuxième pierre dans la même direction. Cette fois le voleur se lève et va voir. Guillaume en profite et se précipite vers le feu.

— *Hey! Dinna touch that! 'Tis mine*[17]!

La main de Guillaume a figé sur la broche. Le voleur revient vers lui. La lame d'un couteau brandi devant lui brille dans la lueur des flammes autant que son regard bleu. Il est aussi surpris que Guillaume.

— Guillaume? *'Tis really ye*, Guillaume Giffard?

---

17. Hé! Ne touche pas à ça! C'est à moi!

— Guillaume Renaud, rectifie l'interpellé. Qu'est-ce que tu fais ici, Angus Macpherson ?

L'embarras froisse soudain la physionomie du jeune Écossais.

— Euh... J'ai mission.

— Une mission ? Tu es un espion, maintenant ?

— *Nay, I'm no spy...* se défend Angus avec vigueur.

Les narines de Guillaume frémissent des délectables arômes qui montent du rôti. Angus note son intérêt pour le lapin. Il fait le constat de son apparence lamentable : la boue recouvre Guillaume pratiquement de la tête aux pieds. Sa petite escapade n'a visiblement pas été de tout repos. Il remarque en même temps le pistolet que semble avoir oublié son opposant dans sa main.

— *Ye hunry ?* l'interroge-t-il en empruntant un ton plus convivial dans l'espoir de l'amadouer.

— C'est toi qui as volé le lapin dans la ferme sur la route, l'accuse Guillaume, qui ne veut pas se laisser démonter une autre fois par le petit couteau que tient Angus. Voleur de lapin et voleur de petit pain ! Voleur tout court !

— *Dinna accuse me of what yer about to do yerself,* Guillaume[18] ! Tou dis moi oune voleur ? Tou voleur aussi !

Les frustrations et ressentiments accumulés pendant les derniers jours explosent en Guillaume dans une incroyable décharge de fureur. Il laisse tomber le pistolet et se rue sur son adversaire. L'un retenant l'autre par le collet, les deux garçons roulent au sol. Les poings de Guillaume fusent, mais ne trouvent pas de cible et il se fatigue rapidement. Par contre, plein d'énergie, celui d'Angus l'atteint sous la mâchoire. Une douleur fulgurante lui traverse le crâne et il cesse tout mouvement. Ce qui met rapidement fin à la bagarre. Angus se dégage et se lève. Pendant qu'il retouche sa tenue, Guillaume roule sur le ventre pour essuyer les larmes qui lui mouillent les yeux. Une petite étoile brille dans son champ de vision. Il cligne des paupières. Croyant voir étinceler l'acier du couteau de l'Écossais, il allonge le bras. Ses doigts se referment plutôt sur un objet cylindrique.

---

18. Ne m'accuse pas de ce que tu t'apprêtes à faire toi-même, Guillaume.

Chapitre 7
Le sacrifice de l'orgueil

Guillaume s'assoit et, subrepticement, il cache la flûte irlandaise d'Angus à l'intérieur de son capot avant de se retourner. Il découvre l'Écossais en train d'examiner avec attention le pistolet qu'il a laissé tomber.

— *'Tis yers?* Ça, à toi?

— C'est à mon père.

— *Oh! 'Tis a good French pistol*[1].

L'Écossais lui lance un regard en coin. Les commissures de sa bouche se retroussent. Guillaume dresse la nuque. Est-ce qu'il pourrait prendre à Angus l'idée de s'en servir contre lui?

— *De ye ken how to use it?* Toi... savoir *use it*?

— Certain que je sais l'utiliser! se vexe Guillaume. Qu'est-ce que tu crois? Sinon,

---

1. Oh! C'est un bon pistolet français.

qu'est-ce que je ferais avec ? Maintenant, rends-le-moi.

Il tend la main pour lui faire comprendre qu'il désire reprendre possession de son bien. Angus lui rend le pistolet et regagne sa place sur le tapis de feuilles et d'aiguilles de pin. Il ramasse le bout de branche qu'il a laissé tomber et se remet à le ciseler avec son couteau. Immobile, Guillaume le regarde faire.

— *Dinna...* Euh, excouse-moi. Voulu pas faire mal à toi.

Guillaume frotte sa mâchoire.

— Ça ne fait pas trop mal, ment-il en esquissant un drôle de sourire.

Il lorgne vers le lapin sur la broche.

— Tou faim ?

— Oui, avoue Guillaume.

Si son orgueil lui supplie de dire non, son estomac, lui, lui interdit de continuer de mentir.

— Je peux partage... euh... *hare, wi' you.*

— Hère ? C'est un lapin ?

— *Hare ? Nay. A hare is...* pas lapine. Lapine *is a rabbit.*

— Lapin, un *rrrrabbit*, se moque Guillaume, en laissant le r rouler plus longuement que nécessaire dans sa bouche. Alors, un « hère », c'est quoi ? Moi, c'est un lapin que je vois

144

griller sur la broche! Il n'y a qu'à voir ses oreilles et ses dents et...

— *Rabbit's hind legs much shorter than...* *Och!* fait Angus dans un mouvement d'impatience. Lapin, jambe là court, qu'il explique en désignant les pattes arrière sur le gibier. *Hare's legs*, plus longs, comme ça.

— Tu essaies de me dire qu'un... hère a les pattes arrière plus longues qu'un lapin? Alors, un hère, c'est un lièvre? en déduit Guillaume.

— Lièvre, *aye!* confirme Angus, content. *Caught him wi' this.*

L'Écossais fouille dans son *sporran* et en retire un bout de fil d'acier. Il a attrapé le lièvre avec un collet. Guillaume comprend qu'Angus n'est pas celui qui a volé le lapin. Il pense soudain que l'habitant lui a inventé cette histoire dans le but de se débarrasser de lui.

La vue d'Angus lui fait repenser à Émeline et ses ressentiments reviennent lui ronger le cœur. Angus cesse de travailler son bout de bois et le dévisage d'un air sérieux.

— *Ye dinna like me, aye?* Pouquoi tou pas aimes moi?

La question déstabilise Guillaume. Il hausse les épaules et dit laconiquement:

— *Ye...* ennemi.

— Moi pas ennemi. Je veux être ta ami.

Guillaume regarde le lièvre qui cuit et pense que la suggestion d'Angus est une bonne idée, pour aujourd'hui.

— Je suis d'accord pour faire une petite trêve, dit-il.

— Trêve ? fait Angus, qui ne sait pas ce que le mot veut dire.

Guillaume ne sait pas comment traduire le mot.

— Pas de guerre aujourd'hui. D'accord ?

Il affiche une expression avenante qui, il l'espère, le convaincra mieux de ses intentions. Angus fait mine d'avoir saisi. Il hoche la tête et se remet à sculpter son bout de bois.

— Qu'est-ce que tu fabriques ?

Il montre le bout de bois que travaille Angus.

— *This ? Oh, could be a dirk handle. A dirk...* ça, précise Angus en lui montrant son petit couteau, puis le manche de l'arme.

— C'est toi qui as sculpté celui-là ?

Angus confirme d'un mouvement de la tête. Il lui prête son couteau pour que Guillaume puisse admirer de plus près les beaux entrelacs ciselés dans le morceau de bois de cerf rouge. Guillaume ne peut que reconnaître les talents artistiques de l'Écossais. En lui rendant son arme, il note la main mutilée. Il se souvient combien elle intrigue sa sœur Jeanne et Émeline. Guillaume sait que c'est impoli de questionner les gens sur leurs infirmités.

— Comment tu l'as perdu? l'interroge-t-il en désignant l'auriculaire absent.

— *A gun...* oune fousil. *Gun barrel* Canoune?

— Canon de fusil, le corrige Guillaume. Tu as perdu ton doigt en nettoyant un fusil? C'est pas malin, ça!

— Pas quand je nettoye. Quand je chasse *deer...* précise Angus en déployant ses mains sur sa tête pour former le panache d'un cerf. La fousil pas charge *correctly*. Canoune de la fousil exploder. *Pow!* Comme ça.

Puis il s'empare du pistolet que Guillaume a déposé entre eux.

— *Always be sure to correctly ram down the ball...* dit-il en mimant le geste de bourrage de la charge. Pousser, pousser *ball* dans fond de la canoune. *Otherwise, could explode.* J'ai chanceux pas perdu mon main. *Good doctor.* Coupe juste la doigt *wi' a saw*, fait Angus en faisant le geste de scier.

Il lui fait voir les nombreuses cicatrices qui zèbrent la paume et le petit bouton de peau

rose qui marque l'emplacement de l'auriculaire. Une sensation glacée parcourt la colonne
vertébrale de Guillaume et le fait frissonner.

— Ça a dû faire drôlement mal !

Il ne peut s'empêcher de se montrer impressionné. Ce qui ne manque pas de plaire à
Angus.

— Oh, j'ai pas crié trop.

Guillaume étudie le visage de l'Écossais. Il
est maigre, mais les os de la mâchoire et les
pommettes saillantes sont larges et témoi-
gnent de leur robustesse. Il note les quelques
poils sombres qui soulignent la lèvre supérieure. Sans s'en rendre compte, Guillaume
effleure l'espace sous son nez. La peau est
encore lisse. La jalousie lui remue le ventre.

— Il n'y a pas de danger qu'un aussi bête
accident m'arrive, crâne Guillaume. Je sais
comment charger correctement un pistolet.
Je te montrerais bien comment on fait, mais
le pistolet est déjà chargé...

Guillaume voit l'Écossais retirer le petit
crochet qui retient le chien et le reculer en
position de l'armé, puis soulever l'arme devant
lui.

— Qu'est-ce que tu fais ? s'écrie Guillaume
en lui arrachant brusquement le pistolet des
mains.

— *Just* voulu essaye !

— C'est à mon père ! Et... et... il ne me reste pas beaucoup de munitions, prétexte Guillaume.

Que c'est embarrassant ! Il a oublié de retirer le cran de sûreté quand il a essayé de chasser le rat musqué. Pendant qu'Angus va tourner le lièvre sur le feu, il dépose le pistolet sur le sol avec précaution et fait dévier la conversation sur un autre sujet.

— Tu viens du même endroit que le capitaine Fraser ?

— *Nay... Loch Laggan.*

— Comment tu dis ? Lo...

Il finit le mot en émettant un son qui ressemble à un feulement de chat. Ce qui fait rire Angus, qui le reprend. Ils passent ainsi plusieurs minutes à répéter le nom, sans que Guillaume y parvienne correctement. Pour ne pas l'embarrasser davantage, Angus se met à lui parler de son pays, les Highlands. De ce qu'en apprend Guillaume, c'est un pays très montagneux et il comprend finalement qu'un loch est en fait le mot écossais pour « lac ». Ainsi, la famille Macpherson habitait près du lac Laggan, dans les Highlands, en Écosse.

Bientôt la chair du lièvre se craquèle. Le repas est à point. Angus retire la broche du feu. Avec son couteau, il taille une cuisse du lièvre et la présente à Guillaume, qui salive. Il plante ses dents dans la viande et se brûle les lèvres. Tant pis ! Il souffle sur la cuisse et procède par petites bouchées. Le jus de la viande coule sur son menton, qu'il essuie avec sa manche. Que c'est bon ! Guillaume est certain de n'avoir jamais rien mangé d'aussi délicieux. Angus est un véritable chef !

Un second grondement résonne autour. Le vent se lève et le froid s'intensifie. Leur haleine forme de petits nuages de vapeur sous leur nez rouge. Angus lève son visage vers le ciel qu'il entrevoit entre les branches des grands pins.

— Je pense va tomber le plouie, fait-il remarquer après avoir lancé les os rongés d'une cuisse de lièvre dans les flammes.

Guillaume se frappe l'estomac avec un air satisfait.

— Tu ne manges plus ? demande-t-il à Angus.

— *Nay,* j'ai plou faim.

Le capitaine Fraser l'a invité au mess et lui a offert un copieux déjeuner avant de le conduire à cheval jusqu'au poste de Sainte-Foy ce matin. Après lui avoir expliqué la situation, il lui a remis un sauf-conduit et la lettre à porter au capitaine Giffard en appuyant sur l'importance que le capitaine reçoive cette lettre le plus rapidement possible. C'est une chance inouïe qu'il soit tombé sur Guillaume. Cela va peut-être lui éviter de passer derrière les lignes ennemies.

Il se lève, s'empare d'un bout de bois et remue les braises afin d'attiser les flammes. Le feu reprend subitement vie et ses nombreuses langues fourchues lèchent les branches chevelues des pins que le vent fait craquer. Le ciel s'illumine tout à coup d'une lumière violente. Ça sent l'orage.

— Nous va falloir trouve toit pour pas faire mouiller.

Guillaume grogne pour acquiescer. Sa bouche est pleine.

— Tou savoir où *French army*? demande Angus à Guillaume.

— Non, je...

Guillaume s'arrête soudain de parler. Est-ce qu'Angus peut l'avoir suivi pour l'empêcher de rejoindre l'armée? Il avale sa bouchée.

— Pourquoi tu me demandes ça?

Peut-être qu'Angus veut se servir de lui pour découvrir les positions de l'ennemi et les divulguer au général Murray?

— *Captain Fraser* dit à moi toi veux *join army*.

Une chaleur couvre brusquement son visage. Que sait au juste Angus ? Que lui a dit le capitaine Fraser ? Il n'est pas question de confesser à Angus Macpherson la mission qui le porte aussi loin de chez lui.

— Toi, qu'est-ce qui t'amène jusqu'ici ? demande Guillaume.

Angus revient à sa place, il ouvre son capot et plonge sa main dans son *sporran* pour trouver la lettre. Il fouille pendant quelques secondes, puis son expression se modifie.

— *My tin whistle !* s'écrie-t-il en bondissant sur ses pieds.

Il s'agite, fouille encore le *sporran*. La consternation glisse sur ses traits.

— Je perdu… *My tin whistle !* gémit Angus. *'Tis all Dhaidi left me²!*

L'affolement gagne Angus. Il se jette sur les genoux et inspecte avec frénésie le sol à l'endroit où ils se sont bagarrés. Guillaume palpe son capot. La flûte est là avec son message pour le chevalier de Lévis. La détresse d'Angus le touche. Après qu'il ait si généreusement partagé son repas avec lui, il reconnaît qu'il commet un geste hautement répréhensible en

---

2. Ma flûte ! C'est tout ce que papa m'a laissé !

gardant la flûte de l'Écossais. Mais la lui rendre, ce serait lui avouer l'intention qu'il a eue de la lui voler. Il se met à quatre pattes, faisant mine lui aussi de chercher. Il suffit de laisser tomber la flûte à un endroit et de feindre de la trouver et...

Il y a un bruit dans les fourrés. Les garçons s'immobilisent et se consultent du regard.

— C'était quoi? demande Guillaume.

Angus hausse les épaules.

— *A squirel, maybe a bird* [3]?

Il se remet à fouiller les aiguilles de pin. Guillaume garde l'œil rivé sur l'endroit d'où lui est parvenu ce bruit. Le couvert des arbres qui épaissit l'obscurité et l'éblouissement du feu l'empêchent de bien voir. Il se souvient de la moufette dans le moulin. Il n'a pas du tout envie de partager ce qui reste du lièvre. Encore moins de se faire asperger de l'infect parfum de la bête puante. Il est sur le point d'avertir Angus de ne pas s'aventurer dans ce coin quand un éclair aveuglant arrache à l'obscurité une ombre géante qui pénètre le cercle de lumière qui les enveloppe. Angus pousse un cri qu'étouffe rapidement une large paume.

---

3. Un écureuil, peut-être un oiseau?

— Tu ne fais pas de bruit, petit avorton de Goddam, et je ne te fais pas de mal, l'avertit l'intrus d'une voix rauque.

L'homme a saisi le garçon par les cheveux et l'a repoussé avec brutalité vers Guillaume, qui remarque l'uniforme d'un blanc sale avec des parements bleus. Sur le coup, il croit qu'il s'agit d'un soldat des Compagnies franches de la Marine, jusqu'à ce qu'il note que les revers des basques ne sont pas bleus comme les parements, mais du même blanc sale que le reste de l'uniforme. Il s'agit donc d'un autre régiment français. Peu importe, c'est un compatriote. L'enthousiasme s'emparant de lui, Guillaume se lève.

— Je ne suis pas anglais, moi ! Mon beau-père est capitaine dans les compagnies de la Marine.

— Vivement, le fils du capitaine ! s'esclaffe le soldat en frappant des mains. Mon père était, lui, prévôt de Nancy, en Lorraine. Voyez ce que ça a fait de moi !

Il s'approche de l'objet de sa convoitise. Ce sont les lueurs des flammes qui l'ont attiré. Il a froid et si faim.

Un déserteur, comprend soudainement Guillaume. Pas de chance ! Les déserteurs n'ont pas de patrie, lui a déjà raconté son père. Il faut toujours se méfier d'eux. S'imprégnant avec délectation de la chaleur des flammes, l'homme les dévisage l'un après l'autre. Il éclate à nouveau de rire, franchement amusé.

— C'est-y pas beau de voir ça! Un Goddam et un Canadien réunis comme deux frères d'armes!

Il insère la main dans son justaucorps en même temps que le ciel s'illumine d'un nouvel éclair. La lumière vive rend la peau du déserteur aussi blanche que celle d'un spectre. Muets de terreur, les deux garçons font un pas derrière. Le tonnerre gronde.

— J'ai juste besoin d'un peu de feu, fait savoir l'homme en sortant un lapin de son uniforme. Vous seriez pas assez charitables pour laisser un ami français se joindre à vous? Un Français, un Anglais et un Canadien, tous assis autour du même feu. Ça serait pas...

C'est à ce moment que l'individu remarque le reste de lièvre sur la broche.

— Tiens! Il est déjà tout prêt, celui-là? questionne-t-il, le visage élargi par un sourire satisfait.

Il laisse tomber le lapin au sol et saisit la broche. Il hume la viande en émettant un grognement de contentement avant de la mordre à belles dents. Guillaume lance un regard désespéré vers Angus, qui secoue la tête pour lui signifier de ne rien tenter. C'est alors que Guillaume aperçoit près de son pied la patine de son pistolet briller dans les lueurs des flammes dansantes. Le déserteur est occupé à dévorer le délicieux lièvre d'Angus. Guillaume se penche avec prudence. Il saisit la crosse de l'arme et se redresse lentement. Il est certain que le déserteur va entendre son cœur pilonner sa poitrine comme un bélier[4] et s'efforce de se montrer sûr de lui. Il croise brièvement le regard d'Angus, qui a compris ses intentions et qui lui sourit pour l'encourager.

— Quelle chance! se félicite l'homme. Je pourrai conserver mon lapin pour demain. J'ai juste besoin d'un peu d'amadou… Oh! fait-il brusquement en remarquant le pistolet dans la main de Guillaume.

Il avale sa bouchée et esquisse un sourire.

— Tu penses faire quoi avec ça, le marmot?

— Je ne suis pas un marmot! se vexe Guillaume.

Le Français éclate de rire. Trois dents manquantes rendent son sourire menaçant.

---

4. Un bélier est une grosse poutre munie d'un embout en acier destinée à enfoncer les entrées barricadées des châteaux forts.

— Tu vas quand même pas tirer sur un compatriote, hein ? dit-il narquoisement avant de croquer à nouveau dans le lièvre.

Il s'approche de lui comme pour le défier de le faire.

— *Fire at him !* lui crie Angus.

Le bras de Guillaume refuse de soulever l'arme. Il est maintenant complètement terrifié. Il ne veut pas s'en servir. Il veut seulement faire peur au déserteur.

— *Damn it, Guillaume ! Fire at him*[5] *!*

Le coup part. La détonation résonne dans le silence et anime la nature dans un tintamarre de piaillements et de battements d'ailes. Guillaume roule sur le sol en hurlant comme un loup. Angus et le déserteur prennent quelques secondes pour comprendre ce qui s'est produit. Le Français profite de son avantage et se précipite sur le pistolet. Ses doigts, qui se sont refermés dessus, deviennent brusquement tout mous, et le pistolet tombe dans un bruit mat. Le corps du déserteur qu'Angus vient d'assommer avec une branche s'effondre à côté de l'arme. Angus se précipite vers Guillaume, qui a replié son genou et le presse contre sa poitrine. Il roule de gauche à droite

---

5. Bon sang, Guillaume ! Tire sur lui !

et hurle et hurle encore. Angus saisit la jambe et l'immobilise. Il y a un petit trou dans le cuir de la botte. Il devine la gravité de la blessure et ressent toute la douleur de Guillaume. Elle irradie sa main mutilée.

— Guillaume! J'occupe de toi. *Dinna worry.* J'occupe de toi.

Il essaie de le soulever. Son compagnon est trop lourd pour lui.

Il ne pourra pas arriver à le transporter sans aide. Il va falloir courir chez les paysans. Mais il ne peut pas laisser le garçon blessé tout seul avec le déserteur. Quand il va revenir à lui, le malotru pourrait s'en prendre à Guillaume. Angus rampe à quatre pattes pour récupérer le pistolet avant de revenir près du Canadien.

— J'occupe de toi, Guillaume, qu'il lui répète dans le vain espoir de le rassurer.

Mais Guillaume n'arrête pas de crier et de pleurer sa souffrance.

Désemparé, Angus cherche une solution quand un déclic métallique derrière lui le fige. Il tourne vivement la tête. Les branches remuent. Il n'a pas le temps de réagir. Surgit du fourré un visage rouge et grimaçant. Un éclair fait étinceler un regard noir qui ne peut être que celui du diable. Angus pousse un cri de frayeur et tente de fuir, mais une main le rattrape par le col de son capot et le soulève de terre. Ses jambes battent dans le vide.

— Petit bâtard d'Anglais ! siffle le Sauvage qui le tient ainsi.

Sa lèvre supérieure se retrousse dans une horrible grimace qui montre des dents carnassières. Angus est saisi d'effroi. Il sait ce que font aux Anglais les Sauvages qui sont fidèles aux Français. Il a vu des hommes scalpés. Il a entendu des histoires de torture qui lui ont fait dresser les cheveux sur la tête et donné des cauchemars. Sa peau ne vaut pas plus cher que celle d'une souris des champs dans la gueule d'un renard. Le monstre rouge crache sa haine et approche sa main de lui. Croyant son heure venue, Angus ferme les yeux. Mais la main ne fait que lui confisquer le pistolet.

Apparaît, derrière le Sauvage, un homme habillé d'une tunique de laine serrée à la taille par une ceinture fléchée, de jambières de daim, d'un bonnet rouge et de mocassins. Sous une épaisse barbe grise, le visage raviné du milicien, tanné par la vie au grand air, n'est guère plus rassurant que celui du Sauvage. Le milicien dévisage l'Écossais avant de porter son attention sur Guillaume, que la peur immense a aussi réduit au silence. Puis il constate la présence du corps du déserteur étendu sur le sol. Avec son pied, il le fait rouler sur le dos. Il émet un sifflement aigu. Ils n'ont pas le temps de compter jusqu'à cinq que deux autres hommes armés de fusils investissent le petit camp. Ils portent un uniforme identique à celui du déserteur. Des acolytes...

— C'est votre homme, messieurs ?

— C'est Picard, confirme le plus grand des deux officiers. Occupez-vous de lui, Cazin.

— Celui-là est blessé, dit le milicien.

L'officier se penche vers Guillaume, qui refuse qu'il le touche. Il a si mal. La douleur grimpe dans sa jambe et dévore tout son corps.

— Montre-moi, mon garçon. Allons, je ne te veux pas de mal. Je suis le sous-lieutenant Boissadel, des grenadiers de Poulhariez du régiment du Royal Roussillon. Nous pourchassions ce déserteur depuis ce matin. Nous allions abandonner quand nous avons entendu le coup de feu. C'est le soldat Picard qui t'a blessé ?

— Il... voulait voler...

Guillaume arrive à peine à articuler ses mots tant il tremble.

— C'est l'Anglais qui avait le pistolet, intervient le Sauvage en lui montrant l'arme dans sa ceinture.

Boissadel pince sa moustache[6] entre ses doigts et considère le jeune Écossais, que le Sauvage tient tranquille au bout de son fusil.

— C'est lui, alors ? demande-t-il à Guillaume en lui désignant Angus.

— Non... Lui, c'est... c'est un ami.

Boissadel médite. Qui voulait voler qui ? Qui a blessé le garçon ? Qui a assommé le soldat Picard ? Leur parviennent les gémissements de Picard, qui revient graduellement à lui.

— Duquet, aidez le soldat Cazin à ligoter Picard, commande Boissadel au milicien. Je n'ai pas envie qu'il nous échappe une seconde fois.

Le déserteur grogne et remue. Il cherche à se libérer des cordes qu'on serre autour de ses poignets dans son dos. Il profère un gros juron. Celui qui va suivre meurt sur ses lèvres devant la gueule du canon qui est pointé sur lui.

— On fait le gentil, Picard, raille le milicien Duquet.

Le soldat Cazin s'assure que les liens sont solides. Il aide ensuite le déserteur à se lever et le pousse devant.

— Duquet, je vous confie la charge du garçon blessé, dit Boissadel. Assurez-vous qu'il

_____
6. Dans l'armée, seuls les grenadiers ont le droit de se distinguer par le port de la moustache.

soit entre bonnes mains avant de revenir au camp. Ça doit être le fils d'un paysan du coin.

— C'est pas un fils de paysan du coin, les informe le Sauvage.

— Tu le connais, Atecouando? demande le milicien.

— C'est le fils d'un habitant de Québec. Je l'ai vu chez le passeur de pain.

— Eh bien, fait Boissadel, il me semble que tu es plutôt loin de chez toi, mon garçon. Que fais-tu ici et quel est ton nom?

Maintenant qu'il ne sent plus sa vie menacée, la douleur que lui cause sa blessure l'envahit à nouveau. Guillaume entend à peine les mots qu'on lui adresse.

— Guillaume Renaud, *sir*, répond Angus à sa place.

— On voulait jouer aux soldats, monsieur Renaud? conclut Boissadel. T'es un brave garçon. Mais je pense que tu es un peu trop jeune pour faire la guerre.

Angus s'anime subitement, comme si une guêpe l'avait piqué.

— *Sir!* qu'il fait en fouillant son *sporran*. *You ken Captain Giffard* [7] ?

_____

7. Monsieur! Vous connaissez le capitaine Giffard?

— Le capitaine Giffard ? Que lui voulez-vous ?

— Père à loui, explique Angus en désignant Guillaume.

Boissadel lance un regard vers le garçon, qui a recommencé à gémir dans les bras de Duquet.

— C'est le fils du capitaine Giffard ?

— *Aye, sir.*

Angus présente une enveloppe cachetée au sous-lieutenant. L'officier l'examine dans la clarté du feu. Elle ne porte pas de sceau, mais elle est adressée au capitaine Charles Giffard des Compagnies franches de la Marine. La calligraphie, élégante et déliée, semble être de la main d'une femme.

— Quel est ton nom ?

— *Angus Macpherson, sir.*

— Qui vous a remis cette missive ?

Il ouvre la bouche pour dire que c'est le capitaine Fraser, mais se ravise. Il désigne plutôt Guillaume du doigt.

— *'Tis his.* Il veut donne ceci à son père.

Le sous-lieutenant estime la valeur que peut avoir la parole de ce jeune Écossais. Il demande confirmation auprès du blessé.

— Le capitaine Giffard, c'est ton père, jeune homme ?

Guillaume opine de la tête.

— Tu voulais lui remettre une lettre?

Guillaume, qui n'a rien écouté de la conversation entre le grenadier et Angus, confond tout. Il croit que Boissadel lui parle des informations qu'il veut donner au chevalier. Il murmure un faible oui. La réponse satisfait le sous-lieutenant. Que risque-t-il en fin de compte à remettre cette enveloppe au capitaine Giffard? Boissadel sort quelques pièces de monnaie de son gousset et les donne à Duquet.

— Que le paysan qui l'accueillera fasse venir un médecin à son chevet. Veillez sur lui jusqu'à demain puis revenez au camp me donner de ses nouvelles. Si aucun médecin n'est venu s'en occuper, je verrai si un chirurgien peut se libérer. La situation m'empêche de faire mieux.

— Qu'est-ce qu'on fait de lui? demande Jean Atecouando en désignant l'Écossais avec son fusil.

— Gardez-le à l'œil. Nous sommes trop près du but pour prendre le moindre risque...

* * *

La pluie bat le toit et fouette les fenêtres de la petite maison du paysan Amyot. Laurent

Amyot est l'homme qui a accusé Guillaume d'être un voleur de lapin. Son lapin lui a été rendu et attend maintenant sur la table de passer sous le couteau de la cuisinière. Il sera mangé le lendemain. Dans la cuisine, Jean Atecouando et Angus gardent le silence pendant que les cris de Guillaume traversent la porte fermée. Les six enfants Amyot occupent chacun une marche de l'escalier, et c'est l'Écossais qui est l'objet de leur curiosité. Ils ont passé leur visage entre les barreaux de la rampe et l'examinent avec circonspection. Ils n'ont encore jamais vu l'un de ces féroces guerriers en jupette à carreaux dont on dit qu'ils fauchent tout sur leur passage avec leurs énormes épées. Ils ont peine à croire à ces histoires devant l'air malingre de celui-là. Mais, si le grand Sauvage le tient si fidèlement à l'œil, c'est qu'il doit être dangereux.

— Peut-être qu'il se transforme quand il est en colère, chuchote la plus jeune au cadet qui le précède.

Le garçon demande à son frère, assis une marche plus bas, si les Écossais peuvent se transformer en feux follets. Un éclair métamorphose les traits de l'Écossais. Sur la marche suivante, sa sœur entend la question.

— Je crois qu'ils se transforment plutôt en loups-garous, affirme-t-elle.

— Il y a des loups-garous en Écosse? s'enquiert dans un chuchotement le frère qui vient après.

Il pense, lui, qu'on trouve plutôt d'horribles ogres dans les montagnes de ce pays lointain.

— C'est qu'un enfant comme nous, tranche la fille aînée, au bas de l'escalier.

La mère, occupée à préparer la potion qui va aider le blessé à dormir, a connaissance de leur présence et les refoule à l'étage à coups de cuillère de bois. Les pieds nus tambourinent le plafond pendant un moment avant que retombe le silence dans la maison.

— Non! Je ne veux pas qu'on me coupe le pied! hurle Guillaume à pleins poumons.

— Tenez-le fermement! ordonne le milicien Duquet.

Le paysan Amyot bande tous ses muscles. Ce petit bout d'homme déploie une énergie surprenante. Duquet approche son long couteau de chasse.

— Coupez-moi pas le pied!

— Je veux juste t'enlever ta botte, fiston.

— Jurez-le sur la croix! Jurez-le!

— Je te le jure sur la croix du Christ.

S'il ment, le milicien ira en enfer. Guillaume parvient à se détendre suffisamment pour permettre à Duquet de glisser sa lame entre le cuir et sa jambe. L'intervention s'avère pénible, car le tuyau de la botte épouse étroitement le mollet du blessé. Au moindre mouvement, Guillaume gémit de douleur. Après de longues minutes, Duquet parvient à lui retirer sa botte. Le bas est rouge de sang jusqu'à la cheville. En usant de toute la délicatesse dont il est capable, Duquet découpe le bas de la même manière que la botte.

Le paysan Amyot se détourne du spectacle. Le milicien examine le pied et secoue sa longue chevelure grisonnante.

— C'est pas beau… vraiment pas beau…

— Voilà! Voilà! intervient la femme d'Amyot en faisant irruption dans la chambre.

Elle porte des serviettes et un sceau d'eau fumante.

— Pauvre petit, murmure-t-elle en voyant la blessure. Depuis le début de l'hiver, il reste plus qu'un seul docteur, de Cap-Rouge jusqu'à la Pointe-aux-Trembles. Il faut des fois attendre des jours avant qu'il vienne. Et pis, il arrive qu'il vienne trop tard ou pas du tout. Mais il a de la chance, le petit, ajoute-t-elle encore. Le docteur Pellerin, y a passé hier pour se rendre à l'Anse-à-Maheu. Antoine l'a trouvé chez le vieux Villeneuve.

Le médecin suit la femme dans la pièce et dépose un coffre de bois sur le sol. Il faut tenir la jambe de Guillaume pour lui permettre de l'examiner. Le médecin ne prend pas de temps à poser son diagnostic et à décider du traitement.

— Le plus vite sera le mieux, qu'il tranche froidement.

Il fait tinter les instruments dans son coffre. Un bistouri, un petit ciseau à bois et un marteau passent sous le regard épouvanté du principal intéressé. Un hurlement fait trembler les murs de la chambre.

Angus frissonne et presse sa main mutilée sur son ventre noué. Son regard croise celui de Jean Atecouando, qui ne le quitte pas. Angus sent la tempête menacer sous le calme du Sauvage.

— Il va pas en mourir, l'Anglais. Il y a pire que perdre un pied ou une main, commente gravement Jean Atecouando.

— *Aye, I ken, sir*[8]. Il y a pire…

* * *

8. Oui, je sais, monsieur.

L'éclair remplit la chambre d'une lueur fantomatique. Guillaume cligne des paupières. Il a cessé de respirer le temps que l'obscurité revienne. Puis, graduellement, la flamme vacillante de la chandelle sur la table de chevet nimbe d'une fine poussière d'or les objets qui l'entourent. À peine a-t-il remué qu'une douleur lancinante le cloue sur place. Il prend de grandes respirations et serre fort ses paupières pour ne pas pleurer.

Il ne sait pas où il est. C'est une nuit d'orage et il est terrifié par ce qui lui arrive. Il voudrait sentir la chaleur de la main de sa mère sur son front. L'entendre lui chuchoter qu'il a rêvé ce cauchemar.

Un léger couinement attire son attention sur sa droite. Il ne voit rien, mais en relevant un peu la tête, il aperçoit une forme sombre recroquevillée sur la plancher. Un sanglot. Un couinement de chiot perdu. Guillaume se dresse sur un coude en essayant de bouger le moins possible son pied mutilé. Dans la faible clarté d'une chandelle, il voit reluire une pièce ronde argentée. C'est la broche qu'Angus pique dans son plaid pour le retenir sur son épaule droite. Il l'a retirée et s'est recouvert du plaid pour dormir. Il pleure dans son sommeil. Angus a possiblement sauvé la vie de Guillaume en assommant le déserteur. Le voilà maintenant à ses côtés à le veiller, couché à même le plancher froid.

Puis il se rappelle brusquement la flûte volée ! Où est-elle ? Oui ! Cela lui revient ! Quand la femme du paysan l'a déshabillé et lavé avant de lui faire boire une potion qui a rendu ses paupières lourdes, l'instrument est tombé de sous son gilet, où il l'avait caché. Par crainte qu'on découvre son méfait, il a insisté pour garder l'objet avec lui dans le lit. Guillaume fouille les draps et retrouve la flûte. Il jette un coup d'œil vers Angus pour vérifier que l'Écossais dort toujours. Son cœur bat fort. Il hésite, porte l'instrument à ses lèvres.

Le son écorché de la flûte flotte comme un lambeau de rêve dans l'esprit d'Angus. Il voit son père se pencher sur lui et, l'air contrarié, corriger son doigté sur l'instrument. « Ton index ne couvre pas complètement le trou. Ne mords pas la flûte, détends-toi. Articule toujours après chaque respiration. Tu devras surveiller tes coups de langue et mieux contrôler la force de ton souffle, mon fils. » « Je n'y arriverai pas, *Dhaidi*… » « Tu es le seul à le penser, Angus. Moi je sais que tu peux jouer. Il suffit que tu y croies aussi. Ce n'est pas de bien jouer qui importe, mais de jouer. L'habileté est un talent qui exige de la patience...» Angus souffle dans la flûte de son père. En fait, c'est du violon qu'il rêve de jouer. Mais il sait qu'avec un doigt en moins il ne pourra plus jamais en jouer. Ce sont des cordes qu'Angus sent maintenant sous ses doigts. Son bras va et vient sur un rythme languissant. «Laisse tes émotions guider tes mouvements... Ta musique, c'est ton cœur qui parle...» Des bribes de phrases. Son père lui a tout appris de la musique. Il était un merveilleux musicien, son père...

Angus ouvre les paupières. Le son de sa flûte continue de flotter dans sa tête. Elle fausse tristement. Angus prend quelques secondes avant de réaliser qu'il est éveillé et qu'une flûte joue véritablement près de lui. C'est une ombre sur le mur qui joue. Angus est encore un peu confus. Il se soulève.

La musique s'arrête abruptement. Les deux garçons se dévisagent pendant quelques secondes en silence. On entend le vent siffler dans les arbres, mais la pluie a cessé de tambouriner sur la maison.

— Je te rends ta flûte, murmure Guillaume sans le regarder.

Angus se lève et prend l'objet. Il contemple la flûte de son père. Il attend des explications. Guillaume a envie de lui dire qu'il a mis la main dessus juste au moment où le déserteur a fait irruption.

— Je l'ai trouvée près du feu… après que tu m'as frappé à la figure, confesse-t-il à la place.

— Tu voulu voler le *tin whistle*?

Pendant qu'enflent en lui la colère et la déception, Angus attend l'aveu.

— Oui, admet Guillaume d'une voix presque inaudible.

Les mâchoires d'Angus se contractent pour empêcher les invectives de quitter sa bouche. S'égrène un temps qui lui permet de se ressaisir.

— Pouquoi, Guillaume?

Les larmes brouillent la vue de Guillaume et les émotions lui serrent la gorge.

— À cause d'Émeline.

— Miss Émeline? fait l'Écossais.

Angus retourne dans son coin, où il s'assoit. Il fixe sa flûte retrouvée et tente de comprendre les raisons du geste de Guillaume. Miss Émeline aime la musique. Elle aime quand il joue de sa flûte. Est-ce qu'Émeline aurait demandé à Guillaume de la lui prendre? Il n'arrive pas à le croire. À moins que ce soit Guillaume qui ait voulu faire plaisir à Miss Émeline en lui offrant la flûte? On ne peut s'empêcher de vouloir faire plaisir à Miss Émeline.

Soudain, tout devient clair dans sa tête. Il porte sa flûte à ses lèvres, positionne ses doigts sur les trous et ferme les yeux. Monte un air mélancolique qui finit par rejoindre Guillaume. La tristesse remplit maintenant toute la chambre, toute la maison. Elle berce les enfants Amyot, qui dorment à trois dans les deux lits installés sous les combles. Le paysan Amyot et sa femme l'écoutent aussi. Parce qu'ils ont cédé leur lit au blessé, ils sont blottis l'un contre l'autre sur une couche de fortune dans la cuisine. La musique s'échappe par les interstices des fenêtres, par la cheminée de la maison. Elle caresse les oreilles d'Atecouando, allongé sur le perron, subissant sans se plaindre la rigueur des éléments afin de permettre un peu d'intimité au couple Amyot. La musique est portée par le vent, vers la campagne où, à une lieue de là, s'activent les troupes sous le couvert de la nuit.

* * *

Deux ponts ont été jetés sur la rivière du Cap Rouge afin de permettre à l'armée française, sous le commandement du général Bourlamaque, de traverser sur la rive nord. Les déplacements de nuit sont choses courantes à l'approche d'un affrontement. Il faut surprendre l'ennemi sur son propre terrain, le prendre au dépourvu. Les soldats piétinent et pataugent ; les roues des chariots et des canons s'enlisent dans la boue. Le convoi avance à pas de tortue. L'opération va prendre toute la nuit. On surveille la présence d'éclaireurs anglais. Le silence doit être absolu. Rien ne doit compromettre le processus alors qu'on est sur le point de refaire de Québec le glorieux fleuron de la France en Amérique !

Ce n'est que lorsque les premières brigades ont atteint les environs de L'Ancienne-Lorette, qu'ont désertée les Anglais avertis de leur approche, que le sous-lieutenant Jacques Boissadel, des grenadiers de Poulhariez, remet l'enveloppe entre les mains du capitaine Charles Giffard. Sous l'abri provisoire d'une toile accrochée entre les arbres, Charles ouvre l'enveloppe. Elle contient deux feuillets. Il a reconnu l'écriture de Catherine et ne peut s'empêcher de s'inquiéter en dépliant le premier. Il s'assoit et approche une lampe de lui. Quand il a terminé la lecture de la lettre, il ferme les yeux. Il a l'impression que le vent siffle un air triste entre les branches qui secouent son abri. Son cœur se déchire.

Chapitre 8
Sur le sentier des braves

Catherine se dresse dans le lit et retient un gémissement entre ses dents afin de ne pas réveiller Françoise. La contraction relaxe lentement. Elle souffle et se recouche. Cela a débuté peu de temps après qu'elle se fut mise au lit. Depuis des jours elle ressent des contractions de temps à autre, irrégulières et plus ou moins faibles. Plus fréquemment depuis deux jours. Les tisanes de framboisier arrivent habituellement à les arrêter. Cette fois-ci, elle n'a pas voulu réveiller Françoise pour qu'elle lui en prépare une. Elle écoute la pluie cingler la fenêtre et laisse s'écouler quelques minutes avant de refermer les yeux. Un éclair illumine l'écran de ses paupières. Une nouvelle contraction s'annonce. C'est la dixième d'affilée. Cette fois, Catherine ne peut se méprendre. Le travail est bel et bien amorcé. Elle agrippe l'épaule de sa servante qui dort près d'elle depuis le départ de Charles et la secoue. Voyant l'angoisse déformer les traits de sa maîtresse, Françoise émerge promptement de son sommeil.

— Françoise... je crois que ça y est, lui annonce calmement Catherine.

— Madame ! Madame ! Il ne faut pas s'affoler !

Françoise passe sa robe et enfile son jupon par-dessus. Son reflet dans la glace l'arrête. Elle retire son jupon et l'enfile sous sa jupe. Pas le temps de replacer ses boucles sous son béguin.

— Il ne faut pas vous affoler, Madame ! Je m'occupe de tout !

Elle se précipite hors de la chambre. Catherine se laisse retomber sur l'oreiller et écoute la servante s'activer dans la cuisine. Réveillée par le raffut de Françoise, Jeanne est assise dans son lit et dévisage sa mère.

— Tu as mal au ventre, maman ?

— Recouche-toi, ma puce... oh !

La contraction est plus forte que les précédentes. Catherine se redresse à moitié. Elle ne retient pas le gémissement qui la libère d'une partie de la tension. Apeurée, Jeanne sort chercher Françoise. Encore engourdi de sommeil, vêtu à la diable, Simon Fraser accourt le premier.

— *Good Lord!* souffle-t-il en constatant de quoi il s'agit.

Il retourne dans sa chambre et finit de s'habiller. Lorsqu'il revient, Françoise est revenue au chevet de sa maîtresse et empile des oreillers dans son dos. Il retourne dans sa chambre, prend le sien et l'apporte. Catherine est déjà confortablement installée. Il ramène son oreiller dans sa chambre. Il ne sait que faire. Il se sent bête. Les accouchements sont des affaires de femmes. Mais il se sent incapable de rester inutile. Il demande à Françoise ce qu'il peut faire. Aller réveiller les voisines ? Bonne idée ! Il court alerter madame Gauthier et sa fille Émeline. Deux heures plus tard, l'eau dans la marmite fume et des piles de serviettes sont prêtes. Fraser a ravivé le feu dans la chambre de la parturiente[1] et a monté plus de bois que nécessaire. Il court à gauche et à droite, se soumettant aux désirs des dames, calmant la pauvre Jeanne entre deux tâches.

— On dirait un nouveau papa, fait remarquer madame Gauthier à la légère.

Le commentaire a cependant pour effet de rappeler à Catherine l'absence du vrai père de son enfant, dont elle n'a pas encore de nou-

_____

1. Femme sur le point d'accoucher.

velles. Et entre chaque contraction, elle se meurt un peu plus d'inquiétude pour son Guillaume. Voilà deux nuits qu'il dort sous Dieu seul sait quel abri. Deux nuits qu'elle ne trouve plus le sommeil, hantée par des images de son fils grelottant, trempé jusqu'aux os, souffrant de froid et de faim, ou pire, noyé, emporté par des eaux noires et glacées. Elle vit perpétuellement dans l'angoisse. Accoucher à cette heure est bien la dernière chose qu'elle souhaite. C'est sans compter la menace d'une attaque imminente des troupes françaises. Le capitaine Fraser refuse de lui confirmer ses doutes. Mais elle voit dans ses regards fuyants qu'il a deviné la proximité de l'armée de Lévis. Elle prie pour que le jeune Angus parvienne à faire passer sa lettre entre les mains de Charles.

Les contractions se rapprochent. Émeline nage dans la confusion. Elle n'a aucune idée de ce qui va suivre. Comment va naître le bébé? Elle n'ignore plus qu'il grandit dans le ventre de madame Giffard et que ce ne sont pas les Sauvages qui vont l'apporter, comme elle l'avait cru il n'y a pas si longtemps. La naissance d'un bébé comporte toutefois encore beaucoup de mystère pour elle. Personne ne semble penser lui expliquer et elle est trop embarrassée pour poser des questions. L'origine des bébés et leur arrivée dans le monde sont de ces choses qui ne se racontent qu'à mots couverts.

Émeline fait ce qu'on lui demande. Préparer le berceau, s'assurer que le support à couverture avancé devant le feu soit toujours garni et que madame Giffard soit constamment enveloppée de chaleur. Refermer la porte de la chambre si quelqu'un, dans son empressement, la laisse ouverte en sortant. La chaleur qui règne maintenant dans la pièce couvre son front d'un voile de transpiration. Madame Giffard se plaint d'étouffer et ne cesse de se découvrir. Émeline doit pratiquement se battre pour la recouvrir entre chaque contraction.

Ces durcissements de ventre impressionnent beaucoup Émeline. Ils ont l'air si souffrants qu'elle n'ose plus toucher la parturiente quand ils surviennent. Ce qui arrive aux quinze minutes environ. Sa mère appelle cela le grand travail. Mais que travaille donc le ventre avec autant d'ardeur ? Est-ce qu'il finit de fabriquer le bébé ? Ou est-ce le bébé qui, de l'intérieur, travaille pour se trouver une façon de sortir du ventre ? Émeline n'a aucune idée de l'endroit par où il va naître. On lui a même refusé d'assister à la mise bas de la chatte au printemps dernier.

Lorsque les premières lueurs de l'aube filtrent entre les rideaux, un silence règne dans la maison. Françoise prépare le petit-déjeuner. Jeanne s'est endormie dans le salon, sur les genoux de madame Gauthier. Un ordonnance est venu mettre fin aux pirouettes du capitaine Fraser. L'Écossais est parti d'urgence pour le quartier général, en leur faisant toutefois la promesse d'envoyer s'enquérir du bon déroulement des choses.

Émeline aimerait laisser la lumière bleue inonder la chambre, question de la tenir éveillée. Elle sent ses paupières si lourdes de sommeil. Madame Giffard somnole. Le travail a ralenti et la force diminuée des contractions lui donne un peu de répit. Peut-être que son bébé ne viendra pas au monde aujourd'hui, finalement. L'épuisement creuse de sombres cernes sous les yeux de Catherine. Émeline pense que cette fatigue est due aux soucis que cause Guillaume. À elle aussi, il cause des soucis, Guillaume. Elle lui en veut un peu... beaucoup, de leur faire vivre autant d'angoisse. Les soldats qu'a envoyés le capitaine Fraser à sa recherche sont revenus bredouilles. Reste l'espoir qu'il soit parvenu à rejoindre sain et sauf son beau-père au fortin Jacques-Cartier.

Un profond gémissement arrache Émeline à ses rêveries. Elle saute sur ses pieds. Madame Giffard s'est redressée dans le lit et respire par saccades.

— Émeline... Éme... line... Va... Va cher-cher... Françoise... Oooh !

Les semelles d'Émeline sont soudées au plancher. Madame Giffard a repoussé les cou-vertures. Le drap est complètement détrempé. D'où vient toute cette eau ? Qu'est-ce qui arrive à madame Giffard ? Est-ce que quelque chose ne tourne pas rond ?

— Émeline ! lui crie Catherine.

Elle détale.

— La sage-femme ! commande madame Gauthier avec une voix de général d'armée.

En bon fantassin, Émeline pivote sur ses talons, attrape sa cape et se précipite hors de la maison. Son premier pas dans la rue déclenche la batterie de la diane. Elle court à perdre haleine en direction de la Basse-Ville. La veuve Barbel vit dans une minuscule masure, appuyée contre la falaise dans la ruelle des Chiens[2] qui a miraculeusement été épargnée des bombardements de l'été. Tout le monde à Québec l'appelle « la sorcière ».

---

2. Aujourd'hui, la rue Sous-le-Cap.

Personne ne connaît son véritable nom. On raconte qu'elle tient ses connaissances des Sauvages, parmi lesquels elle a vécu pendant des années. On la dit fille d'un trappeur blanc et d'une Sauvagesse de la tribu des Kicapous, et épouse d'un guerrier renard, une tribu de Sauvages hostiles aux Français. En 1732, ces Sauvages auraient fait son époux prisonnier. Après la mort de l'homme dans la prison de Québec, la veuve est restée dans la ville, qui serait hantée, dit-on, par l'esprit de son guerrier. Barbel n'est qu'un surnom. Il lui vient du secrétaire de l'intendant Bégon, Jacques Barbel, qui l'a prise dans sa domesticité. Quand Barbel est mort en 1739, la veuve du guerrier renard a pris logis dans une petite remise abandonnée dans le sentier des Chiens et y vit depuis. Personne n'a osé l'en expulser, pas même les Anglais après l'ordre de Murray il y a quelques jours.

L'écho des pas d'Émeline percute les façades des maisons de pierre. Quand elle prend une pause, elle n'entend que son propre souffle haletant dans le silence. Les rues sont désertes. Les volets des fenêtres sont fermés et les cheminées ne fument plus. L'atmosphère est des plus étranges. Une ville peuplée de fantômes, pourrait-on croire. Émeline dévale la côte de la Montagne et croise des soldats pressés à la grimper.

— *Give way! Give way!* crie celui qui mène la troupe. *Hurry up!*

On ne fait pas attention à elle. Deux d'entre eux portent un brancard sur lequel gît un homme. Croyant reconnaître l'uniforme, Émeline s'arrête. L'uniforme des canonniers français... Le visage de l'homme est d'une pâleur cadavérique et ses lèvres sont bleues. Des glaçons s'agglutinent à ses cheveux et s'accrochent à ses vêtements raidis par le froid. Un cadavre emporté par le fleuve et qu'ont repêché les sentinelles ? Un soldat retire sa cape et en couvre le canonnier. Signe que le malheureux est toujours vivant.

Sitôt qu'ils disparaissent dans la courbe de la côte, Émeline se remet en route. Elle emprunte un passage qui donne accès à la ruelle du Sault-au-Matelot, puis débouche dans le sentier des Chiens. La marée encore haute à cette heure vient presque lécher les fondations des maisons qui bordent le sentier. Émeline ne prend que quelques minutes pour localiser derrière l'une d'elles la masure de la veuve Barbel. Un filet de fumée grise s'étire de la cheminée de fer rouillé, jusqu'aux nuages auxquels il se fond. La vieille sorcière est chez elle. Émeline frappe à la porte.

— Veuve Barbel !

En patientant, elle projette son regard au bout du sentier. De nombreux soldats animent le quartier du palais de l'Intendance. Un grondement sourd résonne et fait écho contre la paroi rocheuse de la falaise. Dans le quartier Saint-Roch s'effondre une maison dans un nuage de poussière. Les Anglais démolissent le quartier. Ils craignent l'arrivée des Français, qui pourraient faire des redoutes des maisons. Quel triste moment pour naître, songe Émeline.

— Veuve Barbel ! qu'elle appelle de nouveau.

Personne ne répond. Émeline entrouvre la porte, qui n'est jamais verrouillée. L'odeur qui l'accueille est offensante. Il règne un fouillis indescriptible et Émeline doit prendre garde où elle met les pieds. Seule une petite fenêtre éclaire l'unique pièce qu'encombre un tas d'objets. Des étagères recouvrent les murs. Y sont rangés une multitude de contenants de verre, de faïence, d'argile et de fer. Aux poutres sont suspendus des peaux et des ustensiles de cuisine, des fagots d'herbes et de la morue séchée, sur laquelle prolifère une mousse noirâtre. Le poêle de fonte qui trône au centre se refroidit. La tête penchée sur sa poitrine, la femme est assoupie dans un fauteuil, un livre fermé sur les genoux. À sec d'huile, le bec-de-corbeau qui l'éclairait s'est éteint. Émeline s'approche.

— Veuve Barbel ?

Elle secoue doucement le bras de la femme. Le corps glisse mollement de côté. Le livre tombe au sol. Émeline se redresse dans un sursaut. Son cœur manque un battement avant de reprendre sa course. Elle hésite à la toucher à nouveau. Elle le fait après avoir pris une grande respiration. La peau du poignet est froide. La veuve Barbel est allée rejoindre son Sauvage dans l'au-delà.

— C'était vraiment pas le bon moment de mourir, murmure Émeline.

Elle sort de la masure.

* * *

— Je n'y arriverai pas toute seule ! constate madame Gauthier.

Elle sent ses jambes faiblir. L'excitation de l'arrivée de l'enfant s'envole. Elle n'a jamais assisté à un accouchement. Elle se fiait à l'expertise de la veuve Barbel, qui ne compte plus les âmes nouvelles qu'elle a accueillies dans ce monde. Jusqu'ici, madame Giffard avait assez bien contrôlé l'expression de ses douleurs. Mais là, depuis que la poche des eaux a crevé! Ah! C'est une tout autre affaire! La pauvre hurle comme une suppliciée. Elle refuse qu'on la touche. Elle dit des mots qu'elle n'a jamais entendu prononcer par la bouche d'une dame de sa qualité. Les responsabilités qui retombent sur madame Gauthier sont au-dessus de ce qu'elle peut accomplir. Elle ne sent pas qu'elle possède la force nécessaire pour y faire face. Encore moins les compétences.

Françoise se pointe. Toute rouge de sa course, Émeline répète la mauvaise nouvelle. La servante reste sidérée. Madame Gauthier s'effondre dans un fauteuil du salon et console Jeanne, qui pleure de peur. Émeline suggère d'aller prévenir le capitaine Fraser.

— Jamais de la vie! s'écrie Françoise, qui semble tout à coup avoir recouvré tout son sang-froid. C'est une affaire de femmes, ça! Il va falloir nous en occuper nous-mêmes.

Un regard vers la dame Gauthier, qui a sorti son chapelet et commence à réciter ses prières, lui permet de conclure qu'elle ne pourra pas s'attendre à beaucoup d'elle. Elle considère Émeline.

— Eh bien, mam'zelle Émeline, c'est toi et moi qui devrons jouer les sages-femmes.

— Tu as déjà aidé lors d'un accouchement ?

— Non, mais j'en ai déjà vu deux au couvent. Une jument à l'écurie et la chienne du jardinier. Mais, bon ! Un accouchement, c'est un accouchement, non ? La grâce de Dieu sera avec nous.

* * *

— Le paysan Amyot, c'est ici ? s'enquiert Charles à voix forte au grand Sauvage qui se lève à son approche de la maison.

— C'est ici, confirme Jean Atecouando.

— Où est mon fils ?

— Vous êtes le père de Guillaume ?

Charles saute de sa monture et bondit sur le perron. Sans frapper, il entre dans la modeste maison du paysan. Neuf paires d'yeux se tournent vers lui, ronds de surprise.

Il reconnaît le jeune Angus Macpherson parmi les membres de la famille réunie autour de la table pour le petit-déjeuner. Boissadel lui a dit que c'était un jeune Écossais qui lui avait remis la lettre. Un brave garçon. Mais Charles n'a pas le temps de remercier Angus. Il décline son identité et demande où est son fils.

Laurent Amyot montre du doigt une porte fermée. Le capitaine s'y précipite. La chambre est sombre et il doit laisser ses yeux s'adapter. Il décèle une forme au milieu du lit, s'en approche, le cœur rempli d'appréhension. Le front de Guillaume est chaud ; son visage est aussi pâle que les draps. Dérangé dans son sommeil, le garçon remue et geint. Charles s'assoit sur le lit près de lui.

— Je suis désolé, mon grand, qu'il chuchote avec un nœud dans la gorge.

Au moment où il enfourchait son cheval, arrivait le milicien Duquet avec le récit des derniers évènements. Guillaume s'est fait amputer deux orteils au pied droit. Une nouvelle qui lui est entrée dans le cœur, vive comme une pointe de lance.

— Père ? murmure Guillaume en ouvrant ses paupières brûlantes.

Il ne distingue qu'une silhouette près de lui, mais il a bien reconnu la voix.

— C'est moi, Guillaume.

— J'ai très mal…

— Je sais. Je suis là, ne t'inquiète pas.

Il ne pourra guère rester longtemps. Les évènements se précipitent. L'attaque contre les Anglais devient imminente. Les terrains marécageux de la Suette empêchent l'armée française de déployer les troupes nécessaires pour attaquer avec un avantage assuré le poste de Sainte-Foy. Le chevalier de Lévis a décidé d'attendre la tombée de la nuit avant d'agir ; il pourra alors contourner le poste de façon à couper la voie de communications des Anglais entre Sainte-Foy et Cap-Rouge, empêchant ainsi les soldats de ce dernier poste de venir en renfort. Ce délai a permis à Charles d'accourir aussi vite que pouvait le faire son cheval. Il n'a toutefois pas pris le temps de penser à ce qu'il allait faire ensuite. Emmener Guillaume avec lui est de toute évidence impossible. Il ne peut veiller sur Guillaume et commander sa compagnie en même temps.

— C'est le sous-lieutenant des grenadiers qui vous a dit où j'étais ? demande Guillaume d'une voix éraillée par la fatigue et la douleur.

— Oui. Il m'a remis un mot de ta mère dans lequel elle m'explique tes intentions de venir me rejoindre pour m'aider à gagner cette guerre.

— J'ai des informations pour le chevalier de Lévis, déclare Guillaume.

Le capitaine lit les notes de Guillaume. Il est impressionné et ému à la fois.

— Quel courageux jeune homme tu es, dit-il avec émotion.

— Le général Murray est au courant de votre approche. Il se prépare à être attaqué.

— Je transmettrai ces informations au chevalier, sans faute, sitôt de retour. L'état des réserves de nourriture lui sera certainement utile en cas de siège. Nous pourrions envisager de les soumettre grâce à la faim.

— J'aurais aimé les lui remettre moi-même, commente Guillaume sans cacher son immense déception.

— Je le lui dirai.

Ils se dévisagent pendant que leur parviennent les grincements de bois et les cliquetis de vaisselle que font les Amyot. Pas un son de voix ne s'élève dans la cuisine. La fierté que ressent Charles réfrène son désir de reprocher à Guillaume le geste totalement irréfléchi de sortir de Québec alors que la menace d'un affrontement entre les deux armées devient imminente. Les larmes dans la voix, Guillaume avoue sa faute d'avoir menti à propos des petits pains qu'il devait livrer au boucher Couture. Il cache son visage dans ses mains.

— C'est de ma faute. Vous avez été obligé de vous sauver à cause de moi.

— Ta mère me raconte tout dans sa lettre, Guillaume. Personne ne te rend responsable de ce qui est arrivé, murmure Charles. La faute me revient entièrement. Je n'aurais jamais dû te laisser porter ces pains.

Catherine l'avait averti que ses petites manigances dans le dos des Anglais allaient le mettre en péril. Ce risque, Charles avait été prêt à le prendre. Mais il n'avait pas calculé le danger qu'il faisait courir à sa famille. Catherine ne lui reproche rien dans sa lettre, mais il se doute bien qu'elle doit lui en vouloir de ne pas l'avoir écoutée.

— Tu as pensé aux grandes inquiétudes que ton départ cause à ta mère ?

— Oui, confesse Guillaume.

— Il va falloir la rassurer que tu vas bien, dans les circonstances, ajoute Charles en regardant le pied enveloppé d'un pansement. Comment est-ce arrivé, au juste ?

Guillaume lui raconte d'abord sa rencontre fortuite avec Angus. Puis les évènements qui ont suivi l'arrivée du déserteur.

— J'avais peur et mon doigt a pressé la détente tout seul.

— Heureusement pour toi, tu t'en es sorti sans plus de mal. Les conséquences auraient pu être désastreuses.

— C'est Angus qui a assommé le déserteur.

— C'est lui qui a aussi porté le message de ta mère. Je pense que tu as trouvé un bon ami.

Un ami? Guillaume n'a jamais été aussi incertain. Il sait toute la peine qu'il a fait à Angus en lui prenant sa flûte. L'Écossais ne lui a plus parlé depuis qu'il la lui a rendue.

— Qu'allez-vous faire de moi? demande-t-il à Charles.

Toujours indécis, son beau-père soupire.

— Tu comprends que je dois retourner reprendre le commandement de ma compagnie, Guillaume. Peut-être que cela vaudrait mieux que tu restes ici, le temps de te rétablir suffisamment pour être transporté à la maison. Je vais voir avec les Amyot…

On frappe et la porte de la chambre s'entrouvre. Le paysan Amyot se montre justement. Il est agité.

— Monsieur, il y a de la grosse fumée noire qui monte à l'est. Le Sauvage dit qu'il a entendu un grondement. Il croit que ça peut être le coup du canon, monsieur. Il y a des Anglais au Cap-Rouge. S'il leur prenait l'envie de passer par ici pour vous attaquer de l'autre bord, j'aimerais mieux ne pas m'y trouver. Ils vont vouloir tout brûler sur leur passage, comme ils l'ont fait le long du fleuve pendant l'été.

Charles se précipite dehors pour constater les faits de visu. Une colonne de fumée noire s'élève effectivement à l'est. Possiblement du côté de Sainte-Foy. Est-ce que le chevalier de Lévis aurait modifié ses plans et aurait procédé à l'attaque plus tôt ?

Quand Charles revient dans la maison, les enfants ont rassemblé les quelques objets qu'on leur permet d'emporter avec eux. Très peu de choses, en fait. Une poupée de guenille, un fusil de bois, un panier de couture, un autre contenant un chaton. La mère emballe des vêtements et ce qu'ils ont de nourriture dans des draps. Le père transporte une pendule. Ce qu'ils possèdent de plus précieux. Ils abandonnent tout le reste au sort. Angus et Charles aident Guillaume à s'habiller aussi vite qu'il le peut. L'opération est pénible pour le garçon, qui ravale les cris de douleur.

Charles le porte dehors dans ses bras, où est réunie la famille Amyot avec ses bagages, auquel se sont ajoutés, suspendus par les pattes à une perche, les lapins du clapier que vient d'assommer le paysan. Aussi une poule dans une cage et un porc que tient en laisse l'un des garçons. Charles dépose Guillaume dans la charrette à foin et essaie de le rassurer.

— On veut ben l'emmener avec nous, monsieur, mais il va falloir qu'il marche, votre p'tit homme. C'est qu'on a mangé le bœuf pendant l'hiver. Les temps sont durs, vous savez.

Charles regarde à gauche et à droite. Il n'y a pas de tête de bétail dans les environs. Encore moins un cheval.

— Je vois, fait-il, consterné.

Guillaume ne peut manifestement pas rester avec les Amyot. Alerté par le fils du paysan, la voisine fuit aussi vers les bois avec sa marmaille, où ils vont tous attendre la suite des évènements. Charles va devoir veiller lui-même sur Guillaume. Sa blessure demande des soins constants. Les yeux du garçon sont déjà gonflés par la fièvre. Il craint que son état n'empire. Il doit absolument le placer entre bonnes mains avant de retourner vers ses hommes. Il doit aussi avertir Catherine et mettre fin à ses angoisses. Lui faire porter un message. Il cherche le Sauvage des yeux. Le paysan devine ses pensées.

— Quand il a vu la fumée, le Sauvage est parti. Il a même pas emmené son prisonnier avec lui, souligne-t-il en désignant le jeune Écossais du doigt.

Angus Macpherson, le messager de Fraser. Oui, bien sûr ! Il n'y a pas d'encre ni de papier chez les Amyot. La plupart des paysans ne savent ni lire ni écrire.

— Écoutez-moi bien, Angus, fait Charles devant l'absence de choix. Vous aller retourner à Québec. Vous comprenez ce que je vous demande?

— *Aye, sir.*

— Et vous allez trouver madame Giffard. Vous allez lui dire que Guillaume va bien, qu'il est sous ma garde. Mais ne dites rien à propos de sa blessure. Vous pouvez faire cela?

Angus saisit l'importance de la confiance que lui porte le capitaine. Il voit là aussi une façon de réparer les torts qu'il a causé à la famille Giffard en donnant le misérable petit pain au caporal Brown.

— Je venou porter *Madam Giffard's letter* à vous, répond le jeune Écossais en bombant le torse. Je souis pacable porter message à *Madam* Giffard. *Will be there before night, sir.*

— Vous êtes un brave garçon, Angus. Soyez prudent.

L'Écossais va se mettre en route, quand il se tourne vers Guillaume. Ce dernier baisse les yeux. Angus s'approche de lui.

— Merci, lui dit-il simplement.

— Merci pour quoi? fait Guillaume, stupéfait.

— Pour le floute. *I ken...* je sais, se reprend-il en cherchant les mots dans cette langue qu'il aime apprendre, beaucoup difficile pour toi à donner *back* à moi. *Take's a lot of humility.* Tou as bonne cœur, Guillaume Renaud. Je aimérais beaucoup être ton ami.

Guillaume est si mal à l'aise qu'il n'arrive pas à répondre. Mais il peut tendre la main pour lui démontrer son assentiment. Angus, le sourire éclatant de bonheur, la prend et la serre. Il est si heureux qu'il a envie de pleurer.

* * *

Le toit de l'église de Notre-Dame-de-Foy flambe comme un bûcher de la Saint-Jean. Une détonation fait trembler ses murs de pierre et effraie le cheval de Giffard, qui se cabre en hennissant. Assis entre les cuisses de son beau-père, Guillaume se cramponne au pommeau de la selle. Brûler une église! Un dimanche! Quel affront à Dieu! Le désolant spectacle lui fait momentanément oublier la douleur à son pied. Une partie du toit s'effondre avec le clocher et un fabuleux bouquet d'étincelles monte vers le ciel. Des barils de poudre abandonnés à l'intérieur ont explosé. Les Anglais se servaient de l'église comme dépôt d'armes. Avant de se retirer, ils y ont mis le feu. Tout porte à croire que le général Murray a eu vent des intentions du chevalier de Lévis et a fait rappeler de toute urgence ses troupes à Québec.

L'armée française a reçu l'ordre de marcher de l'avant vers la capitale. Les soldats emmènent avec eux les pièces d'artillerie abandonnées par l'ennemi à Sainte-Foy. Si, comme l'a raconté Guillaume, Murray anticipait leur arrivée, les patrouilles de reconnaissance ont certainement doublé. On ne sait rien de ce qui se passe aux autres postes d'avant-garde. Il y a toutefois fort à parier que les Anglais campés à Cap-Rouge ainsi qu'à L'Ancienne-Lorette se seraient aussi repliés sur Québec et qu'ils se préparent à les recevoir avec tout leur arsenal. Il existe aussi la possibilité que les régiments en poste à Cap-Rouge se soient tout juste mis en route. Si c'est le cas, les troupes françaises risquent d'être poursuivies et prises à revers. Tant que rien n'est confirmé, Charles estime que leur position reste vulnérable.

Son cheval piétine. Il attend la décision de son maître. Charles tergiverse. Il sent Guillaume frissonner contre lui. Il doit rapidement prendre une décision le concernant.

— Comment ça va, mon homme ?

— J'ai trop mal.

La souffrance éraille la voix. Charles touche le front. Il est brûlant. Il vérifie le pansement qui enveloppe le pied blessé. Le sang l'imprègne abondamment. Charles évalue les options qui s'offrent à lui. Il pourrait atteindre Québec en moins de vingt minutes. Mais entrer dans la ville est pratiquement impensable. Garder Guillaume avec lui ? C'est trop dangereux.

* * *

— À la réflexion, je pense que je ne connais rien aux accouchements, confesse Françoise dans un mouvement d'abdication. Pourquoi il ne vient pas, ce bébé ?

— Il va venir, crois-moi, il va venir, dit Catherine en se crispant de douleur.

— C'est trop dur de vous voir souffrir comme ça. Je vais aller informer le capitaine Fraser. Peut-être qu'il va pouvoir nous envoyer un chirurgien. Je ne me sens plus la force de continuer seule. Il faut faire sortir ce bébé. Le chirurgien va savoir comment.

— Françoise ! Ce sont des chirurgiens militaires ! Que connaissent-ils aux accouchements !

Elle veut retenir la servante, mais Françoise est sortie comme une flèche. Le regard d'Émeline se remplit d'angoisse. Madame Gauthier et Jeanne présentent le bout de leur nez par la porte laissée ouverte. Percluse de douleur, Catherine s'agrippe à Émeline. Une nouvelle contraction s'amorce et la pauvre femme gronde et se recroqueville dans le lit. Elle est à bout de forces. Ses cheveux sont gominés de transpiration et son visage est rouge de l'effort qu'elle déploie vainement depuis des heures.

Madame Gauthier ferme la porte et emmène Jeanne vers la cuisine, où les bruits ne leur arrivent plus qu'étouffés. La fillette est rudement éprouvée par l'évènement. Fortement ébranlée elle-même, madame Gauthier tente tant bien que mal de la rassurer.

— Ta maman doit crier fort pour que les Sauvages l'entendent et lui apportent le bébé qu'elle attend.

Jeanne reste perplexe.

— Pourquoi ne pas tout simplement poster une lettre chez les Sauvages pour les avertir que maman veut avoir son bébé tout de suite ?

Pas bête !

— Eh bien… C'est une bonne idée. Tu veux l'écrire ?

Voilà qui va occuper l'enfant pendant quelques minutes.

— Qui va aller la porter ? l'interroge Jeanne. Il ne reste plus personne dans Québec.

Plutôt perspicace, la petite, se dit encore madame Gauthier.

— On demandera au capitaine Fraser.

Jeanne juge la solution acceptable. Elle se met au travail et s'applique à son écriture.

— Est-ce que c'est pour remplacer Guillaume que maman veut un autre bébé?

La question, aussi candidement posée, brise le cœur de madame Gauthier. Quelques coups frappés à la porte d'entrée la dispensent de répondre. Un soldat highlander, qui prétend venir de la part du capitaine Fraser, lui présente un billet. Madame Gauthier le remercie.

Le capitaine Fraser leur annonce qu'il doit partir en reconnaissance avec un détachement de son régiment. Un artilleur français sauvé du bloc de glace sur lequel il a dérivé toute la nuit a avoué au général Murray que l'armée française est aux portes de la ville. *« Dieu nous garde ainsi que madame Giffard. »*

Dans la chambre, Émeline attend que passe une contraction, puis elle tente d'aider madame Giffard à se rallonger, mais la femme résiste et désire se lever.

— Vous ne pouvez pas, madame! Il ne faut pas!

— J'ai besoin de bouger, gémit Catherine. J'ai les reins comme si on les avait essorés.

Elle prend appui sur la table de chevet pour se mettre debout. Émeline veut la forcer à rester dans le lit, mais, déterminée à n'en faire qu'à sa tête, Catherine la repousse. Émeline ne sait pas quoi faire. Si madame Giffard tombe et se blesse? Catherine fait quelques pas hésitants. Émeline n'a d'autre choix que de la soutenir jusqu'à la fenêtre.

— Où il est, mon Guillaume? murmure Catherine d'une voix éteinte par l'épuisement.

Elle appuie son front contre la vitre.

— Il faut revenir vous coucher, maintenant, lui dit Émeline, qui anticipe avec appréhension l'approche de la prochaine contraction.

— C'est parce que les hommes ne pensent qu'à se battre qu'il ne veut pas venir au monde, ce bébé...

Une vague de douleur lui traverse les reins. Catherine saisit le rebord de la fenêtre, s'y retient et s'accroupit. La force de son cri témoigne de la violence de la douleur qu'elle endure. Terrifiée, Émeline court jusqu'à la porte et appelle au secours. Deux minutes, qui lui semblent des heures, s'écoulent avant que paraisse madame Gauthier. Ensemble, elles essaient de relever madame Giffard. Mais la parturiente refuse.

— Je ne peux pas... le bébé... il s'en vient !

Du bout des doigts, madame Gauthier soulève discrètement l'ourlet de la chemise de nuit. Elle ferme un œil qui a peur de voir et épie en dessous avec l'autre. Elle lâche un « Oh mon Dieu ! ». Le sang quitte son visage et elle tombe inconsciente sur le plancher.

* * *

Le cheval file au trot sur le chemin Saint-Vallier. Il se distance rapidement des troupes de réserve que Lévis envoie prendre position dans le vallon de la rivière Saint-Charles et il est bientôt seul sur la route. Charles a décidé de conduire Guillaume à l'Hôpital général, situé en bordure de la rive ouest de la rivière Saint-Charles, suffisamment éloigné des murs la ville pour qu'il s'y risque. Entre les mains des bonnes religieuses, il est certain que Guillaume sera en sécurité et adéquatement soigné. Il guette d'un œil d'aigle les bois et le sommet de l'abrupte falaise qu'ils longent. Des échanges de coups de feu résonnent sporadiquement sur le plateau au-dessus d'eux. Sans doute des tirailleurs français qui harcèlent les arrières des troupes ennemies.

Charles est nerveux et fait ralentir sa monture. Il plisse les yeux et essaie de distinguer la masse sombre qu'il vient de voir apparaître plus loin sur la route.

— Ce sont des Anglais? fait d'une voix faible Guillaume, qui l'a aussi remarquée.

Un détachement anglais patrouille effectivement la vallée. Charles resserre son bras enroulé autour de la taille de Guillaume. De toute évidence, ils ne peuvent continuer sur la route. Il étudie les possibilités qui s'offrent à eux. Soit ils rebroussent chemin, soit ils prennent par les bois jusqu'au couvent. Sans plus hésiter, Charles dirige sa monture vers les bois. Leur destination ne se trouve qu'à une lieue de là. Ils ne peuvent plus revenir en arrière. L'état de Guillaume empire. Son visage est rouge de fièvre et il transpire abondamment.

Les sabots du cheval s'enfoncent dans la neige et glissent dans la boue. Ils se fraient un passage entre les arbres. De façon à protéger Guillaume, Charles déplace le garçon de côté et repousse avec son sabre les branches susceptibles de fouetter le pied blessé. Accroché à Charles, Guillaume frissonne et laisse échapper une plainte de temps à autre. Ils progressent ainsi sur une bonne distance. Lorsqu'ils atteignent les marécages, Charles doit ramener le cheval plus près de la route. Le détachement anglais est visible entre les arbres. Ils peuvent même entendre le bruit de leur marche.

— Sois courageux, mon grand, chuchote Charles à Guillaume. Nous y sommes presque.

Ils franchissent encore quelques toises... Un claquement sec résonne dans l'air humide. Le coup de feu a été tiré tout près. Guillaume étouffe un cri de frayeur dans la veste de Charles, qui immobilise sur-le-champ son cheval. Dans un seul mouvement, il saute à terre, fiche son sabre dans la terre molle et arrache Guillaume de la selle. Le garçon en sécurité dans ses bras, adossé contre le flanc de sa monture, il cherche à localiser le tireur.

— Votre uniforme... commence à dire Guillaume.

Charles lui impose le silence. Leurs regards se croisent. Guillaume l'avertit que les Anglais vont prendre l'uniforme français pour cible. Charles considère sérieusement le point de vue de Guillaume. Si lui peut aisément observer l'éclat des vestes rouges anglaises, il devine qu'un œil avisé peut aussi entrevoir son justaucorps blanc grisâtre défiler entre les troncs. Il dépose le garçon sur le sol pour enlever le justaucorps galonné d'or. Il retire aussi le gilet bleu de France et son hausse-col brillant et fait disparaître dans le sac accroché au troussequin de la selle tout ce qui trahit son camp et son rang. Le tricorne garni de fourrure et de la cocarde blanche du roi de France connaît un sort moins heureux. Charles l'abandonne à la branche d'un arbre. Il le récupérera à son retour. Il se sent soudain étrangement nu. Le froid et l'humidité le font frissonner dans sa chemise, mais au moins, de loin, on le prendra pour un simple habitant.

Charles soulève Guillaume dans ses bras et reprend possession de son sabre. Ses sens en alerte, il observe l'ennemi. Il sent battre de frayeur le cœur de Guillaume contre le sien. Il entend avec une étonnante acuité clapoter l'eau de ruissellement, craquer une brindille, criailler les grands corbeaux que la détonation a effrayés et qui se reposent sur la cime des arbres. Il entend aussi des voix. Les Anglais se sont immobilisés et se sont regroupés en rangs serrés, pointe de la baïonnette devant. Le détachement forme un curieux hérisson sur la route. Quelqu'un parle d'un lapin. Un autre dit qu'il s'agissait plutôt d'une perdrix. Un officier lance l'ordre de se remettre en marche. Fausse alerte. Lentement Charles saisit la bride du cheval et le fait avancer. La bête leur sert de bouclier. Sa robe brune, difficilement distinguable entre les arbres, les camoufle à la merveille. Le sol, gorgé de l'eau de la fonte des neiges, est spongieux. La tâche est ardue pour Charles, que le poids de Guillaume fatigue rapidement.

— Dis donc, tu commences à être drôlement lourd, lui fait-il remarquer.

Lorsque les Anglais ne sont plus en vue, il hisse Guillaume sur la selle et reprend sa place derrière lui. Ils progressent lentement, tantôt s'enfonçant dans la neige, tantôt se taillant à coups de lame un passage à travers les branches. Ils atteignent enfin la lisière des bois, qu'un ruisseau sépare des champs. Le cheval bondit dans l'eau glacée et saute sur l'autre rive, puis il fonce vers un bosquet, au-delà duquel s'élèvent les vergues du moulin de l'Hôpital général, qui leur apparaît au détour d'un petit groupe de bouleaux et de vinaigriers. Charles ne remarque pas les hommes rassemblés sous un grand chêne près de la route. À sa vue, les soldats se déploient. Les armes se soulèvent. Un coup détone, puis un deuxième. Surpris, Charles a le réflexe d'éperonner sa monture, mais un autre attroupement d'Anglais surgit de l'autre côté du moulin et dresse un barrage devant lui. Le

cheval fait une embardée, manquant le pro-
jeter par terre avec Guillaume. Les tenant
dans leur ligne de mire, les hommes s'approchent prudemment. Une balle siffle au-dessus
de leurs têtes. Charles tire brusquement
sur les rênes. Les soldats accourent vers eux,
canons devant.

— *Hold your fire, men, the Frenchman's got
a young boy with him, damn it*[3]*!* commande
un sous-officier.

Son bras enserrant toujours Guillaume
contre lui, Charles écarte son sabre de façon
à le rendre parfaitement visible et indiquer
qu'il n'a pas l'intention de s'en servir.

— *Let go of it, sir*[4]*!*

Giffard obéit et le sabre tombe lourdement
dans l'herbe. Un soldat s'élance pour le
prendre. Il vérifie que Charles ne possède
aucune autre arme, confisque le pistolet inséré
dans les fontes. Pendant qu'il s'exécute, les
autres les tiennent dans leur mire. Guillaume
se dresse aussi droit qu'il le peut et supporte
l'épreuve avec un surprenant stoïcisme.
Cependant, au fond de lui, il est complète-

---

3. Retenez votre feu, les gars, ce Français est en compagnie d'un jeune garçon, bon sang!
4. Laissez-le tomber, monsieur!

ment terrifié. Il n'émet pas un son, mais Charles sent ses doigts s'enfoncer, s'accrocher à lui.

— *The man's no more a threat, Lieutnant Kennedy. The boy's wounded* [5].

Le sous-officier, que Charles reconnaît être du 35ᵉ régiment à cause de la plume blanche qu'il porte piquée avec arrogance dans son chapeau [6], vient vers eux.

— *Well, well, Captain Giffard!* qu'il fait en marquant son étonnement devant ce qu'il découvre avant de reprendre avec un brin de cynisme. *I am sure it will be a true pleasure, sir, for the general Murray to see you come back home safe and sound* [7].

* * *

— Ne panique pas, Émeline, râle Catherine en lui attrapant les mains. Tu vas rester avec moi… et m'aider.

---

5. L'homme ne représente plus une menace, lieutenant Kennedy. Le garçon est blessé.

6. Parce qu'ils sont parvenus à briser les lignes du Royal Roussillon lors de la bataille des plaines d'Abraham, les soldats du 35ᵉ régiment ont obtenu le privilège de porter la plume de la compagnie de grenadiers français.

7. Tiens, tiens, capitaine Giffard! Je suis certain, monsieur, que le général Murray sera très heureux de vous voir rentrer à la maison sain et sauf.

— J'ai peur, madame ! s'agite Émeline. Maman, elle est...

— Elle va revenir à elle d'ici quelques minutes. Je sais, je suis un peu... effrayante à voir, mais c'est normal. Il ne faut pas... te laisser impressionner.

— Je ne sais pas si je pourrai !

— Moi je sais que tu es capable. Tu es une brave fille, Émeline... Oh ! Ça revient... dit Catherine en respirant par à-coups. Tu vas... faire... ce que je te dis...

L'expression de la jeune fille décrit toute l'horreur qu'elle ressent à devoir vivre ce moment. Jamais elle n'a imaginé qu'avoir un enfant pouvait être si éprouvant. Après avoir vécu cela, comment une femme peut-elle accepter d'en avoir un deuxième ? Et un troisième ? Elle regarde sa propre mère, inconsciente sur le plancher, qui a accouché de six enfants, dont deux sont morts peu de temps après leur naissance. Elle paraissait pourtant si excitée par l'arrivée du bébé de madame Giffard. Peut-elle avoir tout oublié des douleurs de l'enfantement ? Peut-être que cela ne se passe pas toujours ainsi ?

— Une couverture... Émeline.

La voix qui la commande est soudain forte d'assurance. Émeline va chercher une couverture suspendue devant le feu. La chaleur qu'elle dégage la rassure momentanément. Elle la présente à Catherine, qui lui dicte ce qu'elle doit faire au fur et à mesure. Madame Giffard prévoit le déroulement de la suite des choses et sait exactement ce qu'il faut faire.

— Apporte-moi cette chaise, que je m'y appuie.

— Vous ne pouvez pas rester comme ça, madame ! Ça ne se fait pas ! Il faut retourner dans le lit. C'est là que ça doit se passer, a dit maman.

— On raconte que les Sauvagesses... ont leurs bébés de cette façon et... qu'elles accouchent souvent toutes seules. Je ne vois pas pourquoi... je n'y arriverais pas moi aussi, commente Catherine.

Sans plus discuter, la jeune fille obéit. Catherine sent une nouvelle contraction l'assaillir et agrippe solidement la chaise. Elles sont maintenant plus fréquentes et plus intenses. C'est le moment de l'expulsion, elle le sait. Curieusement, Catherine a l'impression que tout va plus facilement du fait qu'elle soit accroupie. Elle se souvient de ce que fait et dit la sage-femme à ce stade de l'accouchement. Elle écoute la voix chevrotante de la veuve Barbel dans sa tête lui répéter : « Poussez ! Allez, ma p'tite dame, poussez avec tout ce qui vous reste de forces ! Qu'on lui découvre enfin la frimousse, à celui-là ! »

— Place la couverture… sous moi, souffle-t-elle, et attrape le bébé.

— Je ne peux pas, madame, s'affole Émeline.

— Si, tu peux, Émeline. Tu n'as qu'à ne pas… regarder.

C'est étonnant de constater combien encore il reste d'énergie à Catherine. Elle la dépense sans compter pour mettre enfin au monde son enfant.

* * *

Le général Murray est trop occupé pour interroger le prisonnier. Les troupes françaises ont commencé à se montrer sur la route de Sainte-Foy, près des bois de Sillery. Il fait néanmoins savoir au capitaine Giffard par l'entremise de Cramahé, son secrétaire, qu'il est heureux qu'il ait retrouvé son fils et qu'il verra à dépêcher un chirurgien chez lui dès que possible.

— Au fait, comment va votre fièvre ? demande Cramahé en soulevant un sourcil suspicieux.

— Ma fièvre ? fait Charles, avant de se souvenir du subterfuge qu'a employé Fraser pour justifier son absence et que lui a raconté Catherine dans sa lettre. Oh, mieux… Beaucoup mieux depuis que j'ai retrouvé mon fils.

À la demande de Murray, le lieutenant Kennedy s'occupe de faire transporter le garçon chez lui, où sa mère sera certainement soulagée de le revoir vivant. Ils n'ont pas fait dix pas hors du couvent des Ursulines que Françoise, les cheveux fous sous son béguin posé de travers, leur tombe dessus comme une folle qui a vu le loup-garou.

Sitôt qu'elle reconnaît son maître, elle pousse un cri et s'élance.

— Oh ! Monsieur ! Vous voilà ! Enfin ! Oh ! fait-elle encore en apercevant Guillaume sur le brancard qui le suit. Le petit ! Il est blessé ? Oh ! Le pauvre enfant ! La pauvre Madame ! On dirait que le ciel s'acharne ! Misère de misère ! Oh ! Oh !

Sous bonne escorte militaire, tous les trois regagnent promptement la maison de la rue Saint-Louis. Françoise se précipite à l'étage. En chemin, elle a appris à Charles la stupéfiante nouvelle. Le bébé va naître d'un moment à l'autre. La nouvelle l'a surpris et il doit prendre appui au cadre de la porte.

— *Sir ?* fait l'une des escortes, qui le voit faiblir.

— Ça va, répond Charles.

La maison est étrangement silencieuse. Les minutes s'égrènent. Françoise ne reparaît pas. Les vagissements du nouveau-né ne se font pas entendre. Que se passe-t-il ? Charles attend dans le salon près du brancard de Guillaume. Il est atrocement nerveux. Le sentiment est pire que pendant les minutes qui précèdent une bataille. Les accouchements représentent toujours un risque pour la mère et l'enfant à naître.

Des craquements en haut de l'escalier annoncent une présence. L'ourlet d'une jupe apparaît. C'est madame Gauthier qui descend, les yeux rouges, et reniflant dans un mouchoir. Elle est supportée par une Françoise apparemment tout aussi bouleversée. Le cœur de Charles se serre dans sa poitrine. Appréhendant soudain le pire, il est incapable de remuer les lèvres. C'est Guillaume qui pose la question.

— Alors ?

— Ah ! Je n'ai jamais rien vécu d'aussi éprouvant ! gémit la mère d'Émeline. Ah ! mon cher capitaine ! C'était… c'était…

Madame Gauthier éclate en sanglots. Tout aussi émue, Françoise émet un hoquet.

Jeanne et Émeline font du vacarme dans l'escalier.

— Papa! Guillaume! Vous êtes revenus! s'écrie joyeusement Jeanne qui se précipite pour les couvrir de baisers. Venez voir ce que les Sauvages sont venus porter à maman! Un beau bébé tout neuf! Il est vraiment mignon!

— Guillaume! s'exclame à son tour Émeline avant de le serrer dans ses bras.

Dès qu'Émeline a ouvert la bouche pour parler, elle ne s'arrête plus. Son sourire produit la magie de faire oublier à Guillaume qu'il a deux orteils en moins. Jusqu'à ce qu'il remue sa jambe. Alors il devient tout blême et retient son souffle pour ne pas se plaindre. Il doit lui montrer qu'il peut être aussi brave qu'Angus. Elle commence par lui narrer toutes les angoisses qu'elle et madame Giffard ont vécues et lui fait la morale, puis elle enchaîne en lui racontant l'incroyable nuit qu'elle vient de vivre.

— Et... le bébé? demande timidement Guillaume.

Émeline se tait brusquement. Elle dévisage son cher Guillaume.

— Je l'ai tenu dans mes mains, comme ça, raconte-t-elle d'une voix modulée par les émotions qui déferlent en elle. Guillaume, c'est si petit et si fragile...

Madame Gauthier se remet à pleurer dans son mouchoir.

* * *

Une lumière cendrée flotte dans la chambre. Sentant sa présence, Catherine tourne son visage vers lui. Ses yeux sont soulignés de fatigue, mais ils brillent dans la pénombre. Elle veut se redresser, soudain anxieuse de savoir. Charles la rassure.

— Guillaume est en bas. Tout le monde s'occupe de lui.

— Il est blessé, Françoise m'a dit!

— Il est à la maison. On veillera bien sur lui. Il ira mieux dans quelques jours.

Le visage de Catherine se métamorphose. Un sourire vient estomper un peu les marques de son grand épuisement. Charles caresse la joue de sa femme, puis fait jouer ses doigts dans ses cheveux en broussaille. Catherine soulève le drap et dévoile une petite chose toute rose soigneusement emmaillotée dans un lange.

— Voici Michel, annonce fièrement Catherine. Michel, je te présente ton papa Charles.

Les petits yeux clignent et suivent le son de la voix de la mère. Elle prend le nourrisson avec douceur et le présente au père. Charles n'ose pas le toucher. Il est si petit !

— Michel, un fils... fait-il, tremblant d'émoi.

Avec mille précautions, il prend finalement son enfant, qui se met à gigoter si bien qu'il réussit à extirper une de ses menottes du lange. Charles la caresse du bout du doigt. La minuscule main le saisit et le serre fort. L'enfant est plus solide qu'il ne le croyait.

— Merci, ma mie, dit-il en essuyant une larme.

— Remercie plutôt la vie. C'est elle qui nous fait ce cadeau.

— Michel Giffard, dit-il en calant son fils dans le creux de son bras, la vie te salue. Qu'elle te soit bonne, longue et aussi remplie de bonheur que la mienne peut l'être en cet instant.

Chapitre 9

Des hommes d'honneur

Lorsque Guillaume ouvre les yeux le lendemain matin, un timide rayon de soleil traverse la fenêtre de sa chambre. Il bouge sa langue dans sa bouche pâteuse. Il a soif. Il se soulève pour voir s'il reste de l'eau dans le verre sur la table de nuit. Le geste réveille la blessure qui élance dans son pied. Il se recouche.

Les mouvements de Guillaume attirent l'attention d'Émeline, que le garçon n'a pas vu assise dans un coin sombre, de l'autre côté du lit. Elle se lève et va lui donner le verre qu'il a renoncé à prendre.

— Tu as mal ? lui demande-t-elle.

— Pas beaucoup... enfin, un peu, quand même.

Elle sourit. Elle voit bien dans les grimaces qu'il fait que Guillaume souffre le martyre.

— Tu sais que tu es le jeune homme le plus courageux que j'aie jamais rencontré, Guillaume Renaud ?

— C'est vrai ?

Elle lui fait un magnifique sourire. Son cœur cognant d'une joie intense, il boit toute l'eau dans le verre et le rend à Émeline. Leurs doigts se touchent et tous les deux rougissent.

— Tu as faim ? qu'elle lui demande. Tu veux que je te monte un plateau ?

Il secoue affirmativement la tête. Il rêve de galettes de sarrasin arrosées de mélasse, de mouillettes de crème, de chocolat chaud, d'œufs mollets bien moelleux, de confiture aux fraises et aux framboises sur une tranche de petit pain...

Guillaume se demande où est Angus en ce moment. A-t-il réussi à revenir jusqu'à Québec ?

Comme Émeline sort de la chambre, sa mère se pointe dans l'embrasure de la porte. Elle tient un petit paquet dans ses bras. Son petit frère.

— Bonjour, dit-elle en entrant.

Elle va d'une drôle de démarche et son visage se plisse quand elle s'assoit près de lui. Elle prend une respiration et lui sourit. Elle sourit tout le temps depuis leur retour. Elle est heureuse de voir Charles à la maison et de pouvoir lui montrer bébé Michel. Cela fait tout drôle à Guillaume d'entendre appeler le

bébé du prénom de son père. Mais il aime
bien.

— Comment va ta fièvre ce matin ? demande-
t-elle en appliquant sa paume sur son front.

Les soins du chirurgien Clarke, envoyé par
le général Murray, ont été efficaces. La tem-
pérature a considérablement diminué. L'enflure aussi. L'infection s'était installée dans la
plaie. Le médecin anglais a appliqué des sang-
sues autour de la blessure pour qu'elles aspi-
rent le sang accumulé sous la peau. Il a ensuite
prescrit un traitement de trempage du pied
dans de l'eau chaude additionnée d'un verre
d'eau de vie suivi de l'application d'un cata-
plasme de purée de carottes, si cela est possible. Ce traitement doit être répété pendant
plusieurs jours.

— Tu as envie que j'ouvre un peu la fenêtre
pour laisser entrer l'air doux qu'il fait aujour-
d'hui ? qu'elle lui demande encore.

Il en a envie.

— Ah ! fait Catherine. J'allais presque
oublier. Angus est venu hier soir.

— Angus ? Il est revenu ?

— Il était assez tard. Le pauvre garçon a
dû passer par les grèves sous les hauteurs
d'Abraham afin d'éviter d'être repéré par
les Français. Il a été surpris par la marée

montante et, heureusement, secouru par un parti anglais en patrouille sur les rives du fleuve. Son aventure l'a un peu ébranlé, mais après avoir enfilé des vêtements secs et avalé un bon repas, il avait recouvré toute sa vitalité. Il était fort content d'apprendre ton retour sain et sauf à la maison. Il m'a donné ceci pour toi.

Elle pêche dans sa poche un objet que Guillaume reconnaît immédiatement. La flûte irlandaise ! Guillaume la prend et la contemple, songeur.

— Il pensait que tu aurais peut-être envie d'en jouer un peu, pour passer le temps.

Le bébé se tortille et commence à montrer des signes de faim.

— J'ai l'impression qu'il va faire un petit glouton comme son grand frère, dit Catherine en riant. Tiens, occupe-le pendant que j'ouvre tes volets.

Elle dépose avec une délicatesse extrême son petit fardeau sur les cuisses d'un Guillaume embêté. Faisant mine de ne pas le remarquer, elle se dirige péniblement vers la fenêtre et l'entrouvre. Un flot de lumière pénètre la pièce. Ce n'est qu'à ce moment que Guillaume se rend compte qu'on l'a installé dans son ancienne chambre. Il n'y a plus de trace des effets personnels du capitaine Fraser.

Une singulière cacophonie supplante l'habituel concert matinal des oiseaux. Partout, les tambours et les fifres résonnent. Des voix fortes de leur autorité militaire donnent des ordres. Catherine écarte plus grand le battant de la fenêtre et se penche. Ce qu'elle voit la consterne. Des soldats en tenue de combat marchent vers la porte Saint-Louis. Ils arrivent de la place d'Armes, près du château du gouverneur et de la Grande Place, par la rue du Parloir.

Elle se tourne vers Guillaume. Il est occupé à étudier le petit être qui fait des bulles avec sa salive. Elle se compose un air plus serein et vole son attention en dégageant bruyamment sa gorge que les émotions serrent.

— Tu peux surveiller Michel quelques minutes, je vais voir si ton père est réveillé.

Les yeux de Guillaume deviennent grands comme des écus. Il va protester, mais sa mère est déjà partie. Il considère le bébé qu'elle lui confie. Qu'est-ce qu'on fait avec un bébé naissant ? Est-ce que ça comprend ce qu'on lui dit ?

— Tu n'es vraiment pas beau, tu sais. Enfin, pas aussi beau que le bébé de madame Latour.

Il attend. Le bébé ne réagit pas. Les bébés ne comprennent donc rien à ce que disent les grands. À moins qu'il ne soit sourd. Il tape fort des mains. Le bébé sursaute légèrement, ce qui le rassure. Le bébé gigote et son visage se plisse et devient rouge. Est-ce une réaction normale ? C'est certainement parce qu'il est coincé dans son lange et qu'il ne peut pas battre des bras et des jambes comme il le désire. En tout cas, lui n'aimerait pas se sentir aussi coincé dans sa couverture. Guillaume détache un coin de la couverture de flanelle et dégage les bras. Ils sont maigrelets et la peau est recouverte de marbrures rouges et d'un duvet. Il grimace.

— Comment ça, tu as des poils avant moi ? s'indigne-t-il. C'est pas juste, ça !

Il examine le bébé comme s'il s'agissait d'une nouvelle espèce animale. Une petite main s'agite. Il note la petitesse des doigts. Ils sont vraiment minuscules comparés à ceux de Charles. Il se risque à les toucher. C'est doux. Il caresse les cheveux. Ils sont foncés et hirsutes. On dirait un porc-épic. Son index glisse sur la joue ronde. Bébé tourne la tête. Sa bouche s'ouvre et cherche le doigt. Apeuré, Guillaume le retire prestement. Puis il comprend.

— Ah ! Tu as faim, toi aussi ?

Du bruit dans le couloir le soulage. Sa mère va reprendre bébé Michel et… C'est Émeline qui se pointe avec son petit-déjeuner.

— Charles, murmure Catherine en entrant dans la chambre.

Elle referme derrière elle et s'adosse à la porte. Son cœur se brise. Debout devant la commode, Charles lui tourne le dos. Il a revêtu son uniforme que Françoise a défroissé et nettoyé comme elle a pu. Il tourne lentement son visage vers elle, mais n'ose pas la regarder en face.

— Mes hommes sont juste de l'autre côté des remparts, sur le champ de bataille.

— J'ai vu les Anglais quitter les remparts par la porte Saint-Louis.

Charles lui fait maintenant face. Il est aussi bouleversé qu'elle. Un soupir gonfle la poitrine de l'homme. Catherine se mord les lèvres pour ne pas pleurer. Elle sait combien il souffre de ne pas être à la tête de sa compagnie. Elle va vers lui et ouvre les bras. Ils restent serrés l'un contre l'autre un long moment sans rien dire tandis que leur parvient le premier coup de canon. Ils tremblent autant que les murs de la maison. Au second coup, Catherine sert plus fort son mari contre elle.

— Ils sont là à se battre pour l'honneur de la France et moi… je suis ici à ne rien faire, dit-il d'une voix étranglée.

Elle s'écarte pour le regarder. Les larmes mouillent les yeux de Charles. Elle lit toute la honte qu'il ressent sur son visage.

— Il y a d'autres honneurs à gagner que celui de tomber au champ de bataille pour sa patrie, Charles. Sauver la vie d'un enfant au lieu de détruire celles de dizaines d'hommes ne devrait-il pas être une cause plus glorieuse ? Je crois que ce que tu as fait hier est la chose la plus honorable qu'un homme puisse accomplir. Tu as sacrifié tes rêves de gloire pour le bien de ton fils. Au lieu de mettre ta vie en jeu pour défendre ta réputation, tu as mis ta réputation en jeu pour défendre la vie. Si cette définition de l'honneur gouvernait le cœur de tous les hommes, il n'y aurait plus de guerres pour nous arracher nos enfants. Quel plus bel exemple de héros peux-tu leur offrir ? Personne ne pourra jamais te le reprocher.

* * *

En ce matin du 28 avril 1760, sur la plaine d'Abraham, le ciel crache fer et plomb sur les hommes. Des hommes qui s'acharnent à détruire ce que les femmes, après tant de souffrances, leur ont donné : la vie. Si les sages paroles de Catherine sont parvenues à tranquilliser un peu sa conscience, dans son cœur et dans son âme, Charles souffre quand même toutes les blessures que subissent ses compatriotes.

L'action s'est principalement déroulée près du chemin de Sainte-Foy, à une demi-lieue des remparts, où les Fraser Highlanders et les grenadiers du Royal Roussillon se sont disputé la possession d'un certain moulin Dumont. À un moment, le sous-lieutenant Jacques Boissadel a lutté en corps à corps avec un soldat de la compagnie de Simon Fraser. Pour sauver la vie de son soldat, le capitaine Fraser a grièvement blessé le sous-officier des grenadiers. Fraser ignore que c'est Boissadel qui a déposé dans les mains de Giffard la lettre qu'il a confiée à Angus. Combien étranges peuvent parfois être les circonstances de la vie qui tissent ensemble les fils du destin!

Près d'une heure après la fin des combats, avec un mélange de joie et d'amertume, Charles Giffard apprend de la bouche de Fraser la déroute totale de l'armée britannique. Les Anglais se sont repliés derrière les murs de Québec, abandonnant morts et blessés ainsi que toute leur artillerie sur le champ de bataille, que recouvre maintenant une nappe de fumée sulfureuse. Au chevalier de

Lévis revient le privilège de monter le siège de la ville. Il pense en lui-même : « Quelle ironie ! »

* * *

Dès le soir du 28 avril, le chevalier de Lévis ordonne que soient creusées des tranchées et construites des redoutes. Les Français assiègent ceux qui les ont assiégés moins d'un an plus tôt. Les rôles s'inversent. S'installe l'attente. D'après les informations que leur a fournies Guillaume Renaud, elle ne devrait pas être trop longue. La faim et le manque de munitions allaient obliger les Anglais à déposer les armes.

Le fleuve se dégage de ses glaces. Chacun des deux camps observe la ligne d'horizon qui sépare le ciel du fleuve dans l'espoir d'apercevoir un navire battant son pavillon. Le 9 mai se présente dans la rade de Québec un premier bâtiment. Les observateurs attendent fébrilement de voir le pavillon se hisser. C'est le *HMS Lowestoft*, un navire anglais. Un mouvement de soulagement soulève le moral de la garnison anglaise de Québec tandis que la déconvenue sape celui des Français. Qu'à cela ne tienne ! Lévis garde espoir de voir arriver les renforts attendus de France. Se voyant coincés entre la flotte ennemie et les troupes qui les assiègent, les Anglais ne pourront que reconnaître leur défaite. Lorsque, moins d'une semaine plus tard, jettent l'ancre dans la rade de Québec deux autres navires anglais, c'est la reconnaissance de la défaite pour les Français. Le siège est levé dès le lendemain. Lévis se replie vers Montréal avec ses troupes.

* * *

Dans les semaines qui suivent, les habitants de Québec regagnent leurs maisons et logis. La vie reprend graduellement un cours normal. La cohabitation avec l'Anglais, estimée un mal temporaire pendant l'hiver, devient une réalité durable avec laquelle il faut composer. Ainsi, monsieur Gauthier ne voit plus d'inconvénient à négocier des ententes avec l'armée britannique. Un commerçant doit nécessairement faire du commerce pour vivre. Comme l'a dit Marcel Laliberté, l'argent ne parle qu'une seule langue.

Chez les Giffard, les choses se passent différemment. Charles se sent prisonnier des Anglais et de ses rêves brisés. Il accepte difficilement la défaite des Français après une si magnifique victoire sur les plaines. Sans doute qu'il ne l'acceptera jamais. Par principe. Le matin où l'armée du chevalier de Lévis est retournée à Montréal, il a déclaré que c'était une bataille gagnée pour l'honneur et non pour la gloire. Il garde espoir que Lévis prenne sa revanche avant la fin de l'été. Sans l'espoir, les rêves meurent.

Le général Murray a commencé sa campagne d'été. À la fin de juin, des centaines de troupes se sont embarquées sur des navires dans le port de Québec afin de remonter le fleuve jusqu'à Montréal, vers où convergent aussi les armées des généraux Amherst et Haviland. Des milliers de soldats anglais envahissent le territoire de la Nouvelle-France dans le but ultime de la conquérir. Commence le jeu de l'offensive finale. Les villages qui jalonnent la rivière Richelieu et le fleuve Saint-Laurent s'inclinent les uns après les autres devant la puissance britannique. Les conquérants se dirigent vers un même point : Montréal, dernier bastion français en Amérique.

Le matin du 18 septembre 1759, la ville de Québec capitulait. En ce matin ensoleillé du 8 septembre 1760, c'est au tour de Montréal. L'âme brisée, le gouverneur Vaudreuil signe les conditions de capitulation proposées par les Anglais. L'armée de France rend les armes.

Toutefois, pour ne pas subir la dernière humiliation d'avoir à les remettre aussi à l'ennemi, Lévis brûle ses drapeaux sur l'île Sainte-Hélène. Quand la nouvelle arrive à Québec, c'est la consternation générale chez les Canadiens. La Nouvelle-France n'est plus. Les Anglais sont ici pour rester, il faudra bien s'y faire. De même, les conquérants devront composer avec la présence de ces milliers d'habitants que deux siècles et demi de colonisation auront profondément enracinés dans ce pays. Le gouvernement s'organise. Il accorde aux Canadiens qui prêtent serment d'allégeance au roi George les mêmes droits que tous les autres sujets britanniques. Il permet aux Canadiens qui s'y refusent de rentrer en France.

Charles Giffard a choisi de rester. Tout comme son père et son grand-père, il est né dans la colonie de la Nouvelle-France. Cette terre qui vient de voir naître son fils et nourrira ses enfants est sa seule patrie. Il a rangé ce qui lui reste de son bel uniforme. Il entreprend un nouveau chapitre de sa vie. L'honneur se gagne avec ce que l'on vaut, et non pas par ce que l'on représente. Il est prêt à considérer plus sérieusement la proposition de monsieur Gauthier de devenir son partenaire d'affaires. Il ne connaît rien dans les stratégies commerciales. Qu'à cela ne tienne! Il suffit de savoir compter intelligemment.

Il se tient droit et fier devant l'Anglais et lui répond dans la belle langue de son père. Il se forge de nouvelles armes. Ce sont ses traditions qu'il veut maintenant défendre et l'identité de son peuple qu'il tient à préserver. L'héritage qu'il veut léguer à ceux qui le suivront. La guerre n'est pas finie. «Il va falloir continuer à nous battre, déclare-t-il avec force conviction à Guillaume, pour que nos enfants, nos petits-enfants et tous ceux qui vont les suivre n'oublient pas qui ils sont. La conquête ne sera jamais complète. Ce que les Anglais vont construire, ils le feront sur nos fondations. Nous serons sujets britanniques, mais nous chanterons notre propre hymne en brandissant un drapeau qui dévoilera les couleurs des allégeances de nos cœurs. Les Anglais gouvernent peut-être le pays, mais ils ne gouverneront jamais notre âme. Souviens-toi!»

De cette année terrible, Guillaume a appris les plus grandes leçons de sa vie. Si la guerre peut tirer de l'homme le pire de lui, elle peut aussi tirer ce qu'il a de meilleur. C'est l'équilibre de la nature. L'ennemi n'est pas toujours celui que l'on pense. Il peut être le vilain en face de nous et qui nous veut du mal, mais il peut aussi être le sentiment en nous, qui nous aveugle et nous pousse à faire le mal. Les bancs de l'école de la vie sont parfois un peu durs. Il se souviendra.

* * *

Guillaume se remet lentement de sa blessure. Il a d'abord commencé à se déplacer avec des béquilles avant de pouvoir le faire avec une canne. Il va devoir attendre encore un certain temps avant de pouvoir marcher sans appui. Tout le temps, Émeline reste à ses côtés pour l'aider et l'encourager. Sa présence dans la maison des Giffard est devenue presque quotidienne. Jeanne et elle s'amusent à changer ses langes et à dorloter bébé Michel. Il grandit vite et devient adorable. Guillaume le trouve plus amusant et il le fait rire avec ses plus horribles grimaces. Jeanne appelle son nouveau petit frère sa « poupée vivante ».

Qu'Émeline ait jeté son dévolu sur son petit frère n'a pas longtemps agacé Guillaume. Il en a profité pour apprendre à mieux connaître et apprécier Angus, que le capitaine Fraser a pris sous son aile. L'orphelin est mieux habillé et logé et Fraser veille à ce qu'il ne manque plus jamais de nourriture. Qui l'aurait cru ? Angus et Guillaume sont des amis inséparables. Tout a commencé quand Angus est revenu, quatre jours plus tard, reprendre sa flûte. Les deux garçons sont restés dans la chambre pendant de longues minutes sans se parler. Puis, s'armant de tous ses meilleurs sentiments, Guillaume lui a demandé comment on dit dans sa langue qu'on est désolé de ce qu'on a fait.

— *Is duilich leam*, a répondu Angus en gaélique.

— Is doulichkrrr...

Après plusieurs tentatives, Guillaume a renoncé à prononcer correctement le son comme dans le mot loch.

— En anglais, on dit : *I am very, very, very sorry*, a alors dit Angus avec un drôle de sourire.

— *I am verrry, verrry, verrry sorry*, a répété Guillaume en roulant exagérément les r.

Les deux garçons ont pouffé de rire. Puis Guillaume a sorti la flûte de sous son oreiller. Il a veillé sur le précieux objet comme sur la prunelle de ses yeux. Il en connaît maintenant la valeur.

— Merci.

— *Tapadh leat*, a dit Angus en reprenant possession de son bien. Tou jouer de le floute ?

— J'ai essayé, mais je ne sais pas vraiment comment.

— Tou aimer apprendre ?

— Tu me montrerais comment ? s'est alors enthousiasmé Guillaume.

Angus a sorti de son *sporran* une deuxième flûte. Celle-ci est en bois de saule, visiblement de facture artisanale.

— John MacCormick faire pou moi, a-t-il expliqué.

Il a soufflé dedans. Le son moelleux était très différent de celui, plus clair, de sa flûte irlandaise en métal.

— *'Tis a good flute*, a déclaré Angus, l'air satisfait.

Il a présenté l'instrument à Guillaume.

— *'Tis yer flute.* Tou jouer pou Miss Émeline.

Presque quotidiennement, lors de ses promenades sur le cap Diamant ou sur les remparts, Angus a enseigné à Guillaume les rudiments du *tin whistle*. Ensuite, Guillaume a commencé à montrer à Angus les bases du jeu d'échecs. Au début, leurs conversations se limitaient à la musique et aux stratégies de jeu. Progressivement se sont insérés des sujets plus intimes. Guillaume a appris qu'Angus rêvait d'être un grand musicien. La perte de son petit doigt l'empêche dorénavant de jouer du violon. Il a cependant de nouveaux rêves. Il ne veut plus quitter le Canada. Son père y est enterré. Il veut l'être à ses côtés. La terre de ce pays est bonne. Peut-être qu'il pourrait en tirer sa subsistance. Il se voit déjà guidant sa charrue dans son champ. Des jours de dur labeur au terme desquels il prendrait un repos bien mérité, assis devant le soleil couchant, à jouer sur sa flûte un air de son pays à une jolie dame canadienne, qu'il ajoute avec un clin d'œil. Angus a rencontré une gentille fille dans le faubourg Saint-Roch. La fille d'un charpentier qui a à peu près son âge. L'Écossais est heureux comme il ne l'a pas été depuis longtemps.

* * *

Aujourd'hui, le sort de la Nouvelle-France ne préoccupe pas trop Guillaume. Il est heureux. C'est un beau jour. Le soleil est splendide et le ciel, d'un bleu profond comme on n'en voit qu'à l'automne. La commune située entre les remparts et l'enceinte du couvent des Ursulines est recouverte d'un magnifique tapis de fleurs sauvages multicolores. Émeline a fini d'étaler sur la couverture le goûter que leur a préparé Françoise. Un reste de pâté de tourtes[1] froid, des petits cornichons dans le vinaigre, des pommettes dans le sirop encore tiède qu'elle vient de préparer et un appétissant morceau de fromage cheddar. Les fromages anglais, qu'ils découvrent fort délicieux, prennent petit à petit leur place sur la table des Renaud-Giffard.

Émeline est particulièrement jolie. Elle a mis dans ses cheveux ses plus beaux rubans et étrenne une toilette neuve que lui a confectionnée sa mère dans l'une de ses anciennes robes de bal. Guillaume trouve que le taffetas bleu lavande lui va très bien. C'est qu'aujourd'hui est un jour spécial. C'est l'anniversaire d'Émeline, et Guillaume a projeté de lui faire une surprise. Pour l'occasion, il porte son

---

1. La tourte (pigeon migrateur) est une espèce d'oiseau officiellement éteinte depuis 1914. Ces oiseaux vivaient autrefois en abondance sur le territoire nord-américain. Ils voyageaient en colonies de plusieurs milliers d'individus et dévastaient les champs de culture. Il a suffi de quelques décennies pour que l'homme, qui considérait les tourtes nuisibles, les décime. Il suffisait de lancer des filets dans les champs envahis pour en capturer des centaines à la fois et de les tuer à coups de bâton. Leur chair, très appréciée, entrait dans la confection de la célèbre tourtière, pâté de viande auquel l'oiseau a donné son nom, mais qui de nos jours se fait à partir de viande de porc ou de gibier haché.

beau gilet de velours rouge et un justaucorps de drap beige qui lui donne une allure de gentilhomme. Sa chevelure nouée sur la nuque avec un ruban noir brille de propreté.

Le suroît[2] charrie jusqu'à eux le suave parfum du fleuve et les voix des militaires en entraînement à proximité de la redoute royale. Guillaume les observe pendant qu'Émeline tranche des pointes du pâté de tourtes. Un peu au-delà de la redoute, la toiture d'un vieux hangar est visible. C'est le hangar où Émeline et lui avaient projeté de jouer un vilain tour à Jacquelin Couture. C'était en juillet 1759, quelques heures à peine avant le début des bombardements de Québec par les Anglais. Plus d'un an s'est écoulé depuis! Que d'évènements sont venus tout bouleverser! Les «circonstances de la vie», comme les appelle Charles, ont fait grandir Guillaume. Il a connu la peur, la faim et la solitude. Il a appris à détester et à pardonner. Il a même perdu deux orteils. Et c'est avec un grand émoi qu'il a découvert ce matin son premier poil de menton. Il va bientôt être un homme! Par crainte qu'elle se moque de lui, il n'a pas osé le dévoiler à Émeline, mais il l'a annoncé à Charles, qui lui a promis de lui

_____

2. Vent du sud-ouest.

enseigner comment se servir d'un rasoir coupe-chou[3] lorsqu'il en aurait deux douzaines de plus. Ce jour-là, il sera véritablement un homme.

Émeline lui présente une assiette bien garnie. Elle croise le regard de Guillaume et lui fait l'un de ces sourires qui n'appartiennent qu'à ce langage implicite qu'ils ont toujours partagé depuis qu'ils se connaissent. En croquant dans son pâté, il voit un rayon de soleil allumer une paille d'or dans l'un de ses yeux bruns. Il a l'impression de n'avoir jamais goûté d'aussi bon pâté. Il croit que le soleil n'a jamais brillé aussi fort.

Assis côte à côte, leurs épaules se frôlent. Ils mangent dans un silence contemplatif. Roi de son rocher, un carouge exhibe fièrement pour eux ses épaulettes écarlates en faisant « konk-la-reee! konk-la-reee! ». Ils entendent aussi le trille joyeux du serin sauvage[4] et le refrain entraînant du pinson. Ce qui rappelle à Guillaume...

— J'ai une surprise pour toi, ferme les yeux, dit-il en se tournant vers son amie.

Le visage d'Émeline s'éclaire. Elle s'exécute, ravie. Elle adore les surprises.

---

3. Rasoir à longue lame s'escamotant dans le manche.
4. Chardonneret.

Guillaume fouille sous son gilet et en sort sa flûte en bois de saule. Il est nerveux. Il a horriblement peur de se tromper. Il essuie le bec sur sa manche avant de le placer entre ses lèvres. Un son timide s'en échappe. Puis résonnent enfin les premières notes d'une mélodie qu'Angus a composée.

Surprise, Émeline entrouvre les paupières. Les yeux fermés, Guillaume est concentré à jouer la pièce d'Angus qu'elle préfère. Le cœur tout chaviré, elle l'écoute. Elle est si captivée qu'elle ne se rend pas compte que les larmes mouillent ses joues. Guillaume joue un peu maladroitement et manque quelques accords, mais il s'en sort plutôt bien. Quand il a fini, plane un silence fébrile.

— Joyeux anniversaire, Émeline, murmure enfin Guillaume, au comble des émotions.

Émeline est si émue qu'elle n'arrive pas à articuler un mot.

— Je sais, ce n'était pas aussi bien que quand c'est Angus qui joue.

— C'est faux ! proteste Émeline. C'était très bien. Je n'arriverais même pas à jouer comme toi !

— C'est vrai, tu as aimé ?

— Quand ça vient de ton cœur, j'aime tout

ce que tu fais, Guillaume, déclare Émeline. C'est une surprise très touchante.

La poitrine de Guillaume se gonfle.

— Ça s'appelle *Miss Émeline*. Tu sais, cet hiver, j'ai été un peu jaloux d'Angus, confesse-t-il en baissant les yeux, gêné.

— Un peu? éclate de rire son amie.

— Tu t'en es rendu compte?

— Guillaume de mon cœur! C'était aussi évident qu'un nez au milieu d'un visage. Tu as été un véritable monstre de jalousie, si tu veux mon avis. Et ce pauvre Angus qui ne demandait qu'à être ton ami.

— Il voulait aussi être le tien, fait observer Guillaume. Il est le meilleur musicien. Il est un habile danseur. Il est un excellent élève. Tu lui trouvais toutes les qualités!

Elle prend la main de Guillaume dans la sienne et ses joues humides prennent la teinte de jolis coquelicots.

— Grand nigaud, va! Tes qualités sont nombreuses, Guillaume Renaud! Combien de fois tu as bravé le danger pour défendre ce que tu crois juste? L'honneur de ton père, la liberté de ton beau-père et celle de notre pays? Et que tu aies reconnu tes torts envers Angus est une très belle chose. C'est la qualité d'un cœur qui est à la bonne place. Un cœur humble. Tu es un homme d'honneur, Guillaume. Voilà pourquoi je t'apprécie. Angus, je l'apprécie parce que sa musique me rend joyeuse. En retour, j'ai essayé de le rendre moins malheureux en lui apportant de la nourriture et des vêtements. Il était si seul et avait besoin d'amis. On a tous besoins d'amis, tu sais. Des amis qui nous font rire quand on est triste. D'autres qui nous aident quand on est dans la misère. Pour moi, tu es tout ça, Guillaume. Mais, avec toi, il y a quelque chose de différent, de plus qu'avec Angus. Nous deux, on est… des amis « À la vie ! À la mort ! » et… puisque je ne peux avoir qu'une seule vie et qu'une seule mort, je suppose que je ne peux avoir qu'un seul ami comme ça.

Dans le ventre de Guillaume, des dizaines de bulles de bonheur éclatent et se répandent partout dans son corps. Cela lui procure un sentiment merveilleux. Avant qu'il ne s'en rende compte, Émeline se dresse sur ses genoux et approche son visage du sien. Elle veut l'embrasser sur la joue, mais Guillaume a tourné la tête et c'est sur ses lèvres que se posent les siennes. Le moment est doux comme la brise qui joue dans leurs cheveux. Ils se dévisagent avec étonnement. Puis, poussé par ce sentiment qu'il n'a pas encore appris à discerner, Guillaume embrasse à nouveau Émeline. Quand ils s'écartent, leurs joues sont aussi brûlantes que le feu du forgeron.

— À la vie! À la mort! Émeline Gauthier, qu'il lui murmure en lui faisant son plus beau sourire.

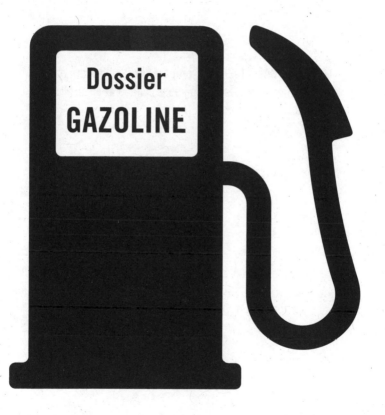

Dossier
GAZOLINE

Le dossier **GAZOLINE** a été préparé par Sonia Marmen et Jennifer Tremblay avec la généreuse collaboration de Michel Therrien.

Dossier
GAZOLINE

Entrevue avec Sonia Marmen

Les Éditions de la Bagnole : *Sonia, quand tu étais enfant, rêvais-tu de devenir écrivaine ?*

Sonia Marmen : Loin de moi était l'idée de devenir un jour écrivaine. C'est arrivé par hasard. J'avais l'habitude de me raconter des histoires. Je suis une rêveuse. Un jour, j'ai eu envie d'en écrire une, question de pouvoir l'élaborer un peu. Cela a donné *La vallée des larmes*, mon premier roman. Depuis, je n'ai cessé d'écrire les histoires que je m'invente. C'est un très bon exercice. Il faut l'essayer.

LEB : *Est-ce que tu attends d'être inspirée pour travailler ?*

SM : Évidemment, j'ai besoin d'une étincelle pour faire démarrer le moteur de l'imagination. Ça peut être un évènement entendu aux nouvelles, un fait lu dans un ouvrage historique, une histoire vécue ou simplement un bout de scène dans un film. Dès que l'étincelle s'allume, petit à petit des personnages prennent forme, une intrigue se dessine. Le processus de création d'un roman peut prendre des semaines et même des mois. Il arrive parfois qu'une panne d'inspiration me ralentisse.

LEB : *Tu décris très bien la nature dans tes romans. Comment arrives-tu à être si précise sur la couleur du temps, sur les odeurs et les sons ?*

SM : Quand je désire décrire un décor, je me rends dans un endroit qui l'évoque et je m'imprègne des images et des sensations qu'il me procure. Marcher dans le bois et sentir l'odeur de l'humus, des champignons. Entendre les brindilles craquer sous ses semelles, écouter les différents chants des oiseaux et les distinguer. Sentir la brise sur sa peau et en retenir les effets… Raconter ce que l'on a ressenti dans un véritable décor – que ce soit dans les bois, sur une ferme, sur le bord de la mer –, rend le texte plus vivant.

LEB : *Comment et où trouves-tu toutes les informations nécessaires à l'écriture de tes romans ?*

SM : Je lis et je lis encore. Des dizaines d'ouvrages sur les sujets qui m'intéressent. Je prends en note toutes les informations qui me seront éventuellement nécessaires. Je fouine aussi sur le Net. Il existe une multitude de sites utiles dans mes recherches. Mais, dans tous les cas, il faut vérifier les informations récoltées. Les sources doivent être sûres. Même les historiens se contredisent parfois. C'est un travail fastidieux et de longue haleine, mais nécessaire.

LEB : *Quelle époque de l'Histoire te fascine plus que toute autre ?*

SM : Chaque époque possède ses éléments fascinants. J'ai longtemps été intéressée par l'Antiquité et les mystères des Égyptiens. Par le Moyen Âge aussi, captivant avec ses sombres châteaux forts et l'univers merveilleux de la chevalerie. Les grands siècles m'ont par la suite transportée dans des mondes de misères et de douceurs que nous dépeignent avec de si belles teintes les tableaux de Vermeer et Fragonnard. Mais c'est avant tout ce que je peux apprendre de nouveau qui me dirige vers telle ou telle époque. Un évènement historique qui m'intéresse va souvent m'inspirer une histoire et m'obliger à en apprendre plus pour la raconter à travers le regard de mes personnages. Je me dis parfois qu'écrire n'est en fait qu'une excuse pour lire sur l'Histoire.

LEB : *Selon toi, pour les enfants, la vie est-elle plus facile à notre époque qu'à celle de Guillaume ?*

SM : Chaque époque pose ses difficultés. Autant pour les enfants que pour les adultes. Les effets sur la santé du manque de connaissances scientifiques et des conditions de vie pénibles d'autrefois pourraient se mesurer à ceux d'une technologie moderne qui règle nos vies à une vitesse effarante et d'une vie beaucoup plus sédentaire. Mais la comparaison reste relative. S'habituer au froid et à tous les petits désagréments que lui faisait subir son époque a certainement contribué à hausser le seuil de tolérance à l'inconfort de Guillaume. Plonger dans l'eau d'une rivière ou bien marcher pendant des kilomètres par un temps inclément n'avait rien d'exceptionnel pour lui. Tandis qu'aujourd'hui, un garçon de son âge hésiterait probablement à sauter dans une eau sous la barre des 20 degrés Celsius et se plaindrait d'avoir mal aux pieds avant d'avoir franchi cinq kilomètres à pied. Les gens vivent et évoluent avec leur époque. Seules les émotions sont intemporelles.

LEB : *Parle-nous de Guillaume, comment est-il né dans ta tête ? Est-ce qu'il te ressemble ou ressemble à quelqu'un que tu connais ?*

SM : Comme c'est le cas pour tous les personnages que je crée, Guillaume est un témoin qui raconte une époque que je désire faire connaître à mes lecteurs. À l'approche du 400e anniversaire de la ville de Québec, j'ai pensé qu'il serait intéressant de faire revivre quelques pages de son Histoire. Pour nous transporter dans cette période un peu violente, j'avais besoin d'un personnage intrépide et astucieux mais dont la sensibilité nous serait dévoilée grâce à un personnage secondaire. Émeline joue ce rôle. Mon neveu Guillaume, qui a le même âge, a été la source de mon inspiration.

LEB : *Si tu écrivais encore quelques centaines de pages sur les aventures de Guillaume Renaud, qu'arriverait-il ? Est-ce qu'Émeline et lui se marieraient et auraient des enfants ? Et comment gagneraient-ils leur vie ?*

SM : Curieusement, j'ai déjà songé à cette question. Si j'avais à écrire une nouvelle aventure pour Guillaume, je crois que je le ferais vieillir de quelques années. Je le ferais voyager à travers le pays, peut-être en tant que coureur des bois. Il pourrait aussi vivre un épisode des évènements de la guerre d'Indépendance des Américains dont la ville de Québec fut le théâtre en 1775. Son affection pour Émeline grandirait. Peut-être qu'il lui ferait la cour, lui demanderait de l'épouser et aurait des enfants. L'idée vous plairait-elle ?

Pour répondre à cette question, vous pouvez écrire à Sonia Marmen à l'adresse suivante :

soniamarmen@videotron.ca

Y a-t-il un marginal
dans la classe ?

Marginal. Ce mot a la même origine que le mot marge. Au lieu de suivre sagement les règles tacites ou clairement établies par la société dans laquelle il vit (famille, école, ville, pays), le marginal agit différemment des autres. En vivant ainsi « en marge » de la société, il attire l'attention.

Il y a plusieurs façons de reconnaître un marginal. Il s'habille d'une manière spéciale – il ignore volontairement ou non les dictats de la mode –, ou il adhère à des croyances peu communes, ou encore il s'oppose aux lois en ne les respectant pas. On peut aussi reconnaître le marginal à ses idées, ses créations ou ses connaissances surprenantes, à ses comportements très fantaisistes qui heurtent son entourage, ou encore à l'organisation de sa vie, qui n'a rien de commun avec l'horaire de la plupart des gens (dormir la nuit, étudier ou travailler le jour, prendre ses repas à heure fixe, etc.).

Les marginaux expriment un message : ils protestent, consciemment ou non, contre ce qui cause problème dans leur société. Par exemple, à notre époque, certaines familles ont décidé de ne pas installer de téléviseur dans leur maison. Elles expriment ainsi qu'elles en ont assez de la trop grande place que prend la télévision dans la vie des gens, et des conséquences négatives que cette omniprésence entraîne.

Les romanciers aiment peupler leurs livres de personnages marginaux. Les marginaux sont inspirants et nourrissent généreusement l'intrigue. En effet, puisqu'ils n'agissent pas et ne pensent pas comme leur entourage, ils provoquent des problèmes – sans problème à régler il n'y a pas d'histoire à raconter, rappelons-nous cela ! –, ou mènent des quêtes qui demandent de déployer des ressources qui ne sont pas à la portée du commun des mortels. Les superhéros, par exemple, sont toujours des marginaux !

Dans ce roman, deux personnages marginaux attirent l'attention, même s'ils n'apparaissent que brièvement. Voyons ce qu'ils ont à nous apprendre sur leur époque.

La veuve Barbel

Une aura de mystère flotte autour de ce personnage à la destinée peu commune. Pendant des siècles et dans de nombreuses sociétés, les femmes qui possédaient un savoir échappant aux hommes de science, et pratiquant des rites ésotériques, étaient considérées comme des sorcières. Savoir mettre au monde des enfants, voilà une pratique bien mystérieuse. La veuve Barbel, comme la plupart des femmes de son genre à travers l'Histoire, exerce sur son entourage à la fois un puissant attrait – on a besoin d'elle, on a recours à elle – et une crainte profonde. En effet, si on lui attribue un pouvoir extraordinaire sur la vie, on ne peut que lui en attribuer un, tout aussi extraordinaire, sur la mort.

Sonia Marmen a mis en scène la veuve Barbel de façon à bien nous faire sentir la différence entre cette femme et la majorité de ses contemporaines. La sage-femme n'habite pas dans une maison bien tenue, ni dans un couvent bien propre. Sa demeure est étrange : elle vit dans une masure, laquelle est encombrée d'objets et de bocaux dont on ignore l'inquiétante utilité. Que consomme-t-elle ? Ce que personne ne veut manger : de la marmotte ! D'ailleurs cela dégoûte Guillaume ! Son passé nous dévoile qu'elle était destinée à ne pas avoir une vie comme les autres : elle a marié un Sauvage – voilà une union rare à l'époque –, et l'âme de son mari hante désormais les murs de la ville.

Fait révélateur : le général Murray, qui n'est à Québec que depuis quelques mois, connaît la veuve Barbel et l'appelle « la sorcière ». Il en est souvent ainsi des marginaux dans une communauté (ce peut être aussi dans une classe d'école...), une ville, un pays : ils ne sont pas longs à se faire remarquer et à attirer l'attention des autorités ! Et cela, même s'ils ne font rien de mal.

Picard, le déserteur

Le déserteur est un soldat qui abandonne son régiment, se sauve des rangs de son armée à laquelle il a pourtant fait le serment, à la signature d'un contrat, d'être loyal. Il tente de revenir chez lui, ou se cache du mieux qu'il peut en errant dans la nature. Il ne supporte plus la vie dure de soldat. Tuer des gens parfois innocents, risquer d'être tué ou d'être gravement blessé et handicapé. Avoir froid, avoir faim, être au bout de ses forces. Être soumis aux ordres d'officiers sans pitié. Voilà autant de bonnes raisons de vouloir s'échapper !

La désertion est considérée très souvent comme un crime grave, particulièrement en temps de guerre. Les peines imposées aux déserteurs varient très largement, allant de l'exécution à la simple décharge de devoir. Il n'est pas sûr que le déserteur aura une vie plus facile en se libérant de la vie de soldat : il doit voler pour manger, dormir à la belle étoile, et surtout se cacher du monde ! En effet, le déserteur est généralement considéré par ses concitoyens comme un lâche. Il est montré du doigt, chassé, recherché. Sa marginalité est double : il est incapable de vivre dans les rangs serrés de l'armée, et en même temps, il est rejeté de la société dans laquelle il tente de retourner.

Probablement dans le but d'exprimer ce que l'on pense en général des déserteurs, Sonia Marmen s'est plu à dépeindre un Picard très antipathique : il se révèle être le voleur de lapin, et son attitude est menaçante et désagréable. Picard fait peur à Guillaume, et c'est à cause de lui que l'apprenti soldat se tire dans le pied !

* * *

Y a-t-il d'autres marginaux dans ce roman ? Le capitaine Fraser a des idées en marge de son camp : alors qu'il est de l'armée anglaise, il fait tout pour protéger les Giffard-Renaud et les en éloigner ! Émeline prend grand soin d'Angus, qui est du camp des conquérants ! Et Angus partage son lièvre avec Guillaume, alors que leurs camps respectifs se préparent à s'affronter.

Ces deux personnages ne sont pas des marginaux, mais ils adoptent, à cause des circonstances historiques, des comportements marginaux. Cela nourrit l'action, provoque des rebondissements et tient le lecteur en haleine. Cela permet aussi à Sonia Marmen d'exprimer une idée importante pour elle : les gens, quelles que soient leurs allégeances, ne sont pas ou bons ou méchants, mais pleins de paradoxes et capables du pire comme du meilleur.

J. T.

Le scorbut :
quelle horrible maladie !

Le scorbut est une maladie grave que le corps développe s'il est privé de vitamine C (acide ascorbique). S'il n'est pas soigné à temps, il entraîne la mort. Pendant l'hiver 1760, le père d'Angus ainsi que des centaines d'Écossais, d'Anglais, de Français et de Canadiens en sont atteints. Les gencives des malades sont purulentes et se déchaussent graduellement pour laisser tomber les dents. Une grande fatigue les accable d'abord, puis leurs bras et leurs jambes sont atteints d'œdème[1]. Leurs muqueuses[2] saignent et leur peau est marquée par des hématomes[3]. Les malades s'affaiblissent peu à peu, au point qu'ils finissent par succomber. Si on réussit à les sauver, ils finiront leur vie partiellement édentés...

---

1. L'œdème est une accumulation de liquide dans les cellules d'un organe, provoquant son gonflement.
2. Les muqueuses sont les membranes humides qui recouvrent, par exemple, l'intérieur de la bouche ou du nez.
3. Un hématome est une accumulation de sang sous la peau.

C'est surtout chez les explorateurs et les marins que le scorbut faisait des ravages puisque l'alimentation de ces hommes était gravement défaillante. Le scorbut a marqué l'histoire du Canada entre autres parce que la maladie a décimé l'équipage de Jacques Cartier, resté à Québec pendant l'hiver 1535-1536. En février, seulement 10 des 110 hommes de l'expédition étaient encore en bonne santé. Grâce à une recette donnée par Domagaya, le fils du grand chef iroquois Donnacona, un certain nombre de malades a quand même pu être sauvé. La potion, qui consistait en une décoction d'écorce et de feuilles pilées de *l'anneda*, nom indien du thuya blanc[4], était en fait ce que l'on appelle aujourd'hui de la bière d'épinette.

C'est en 1747, après une expérience à bord d'un navire, qu'un médecin écossais de la Marine royale britannique, James Lind, a établi le lien entre le scorbut et le manque d'acide ascorbique dans l'alimentation. Il avait divisé les douze marins atteints de scorbut en six groupes. Chacun des six groupes devait absorber quotidiennement un seul des aliments suivants : vinaigre, acide sulfurique, cidre, décoction d'herbes et d'épices, eau de mer, et enfin, citrons et oranges. Seuls les deux marins ayant mangé des citrons et des oranges avaient guéri.

---

4. Cèdre blanc commun, souvent utilisé comme haie entre les maisons...

Malgré cette découverte, ce n'est que cinquante ans plus tard que la Marine a rendu obligatoire l'approvisionnement suffisant d'agrumes avant un long voyage. En dépit de cette précaution, parce que la vitamine C contenue dans les aliments a tendance à perdre son efficacité au cours des longs mois d'entreposage, il arrivait encore que des marins meurent du scorbut. Ce n'est que lorsque des méthodes adéquates de conservation de la nourriture ont été développées que les marins ont pu s'alimenter correctement tout au long de leurs voyages et rester en bonne santé !

Malheureusement, le scorbut fait encore aujourd'hui de nombreuses victimes dans les pays frappés par la malnutrition et où l'accès à des suppléments vitaminiques est difficile. Cependant, aussi incroyable que cela puisse paraître, il y a des gens atteints du scorbut même dans les pays industrialisés, où les étalages de fruits sont pourtant nombreux. La maladie touche les gens qui s'alimentent mal. Il y a un vieil adage anglais qui dit : « *An apple a day keeps the doctor away*[5]. » Avec une orange ? Tout s'arrange !

S. M.

---

5. Une pomme chaque jour nous garde loin du médecin.

Le terrible incendie de 1755

C'est en 1637 que trois religieuses augustines d'une congrégation de Dieppe, en France, se portent volontaires pour traverser l'océan Atlantique afin de fonder, dans le petit hameau qu'est alors Québec, le premier hôpital de la colonie de la Nouvelle-France. Leur mission est primordialement de soigner et d'évangéliser les Sauvages. C'est un projet extraordinaire et la tâche qui leur incombe est loin d'être facile. Mais, armées d'un courage et d'une persévérance à toute épreuve, elles finissent par établir leur hôpital. Au fil des ans, et à mesure que leur communauté prend de l'importance, les Augustines agrandissent leur monastère et ajoutent des bâtiments. Elles ne vivent pas grassement, mais elles prospèrent petit à petit grâce aux dons reçus et à la vente des surplus de leur potager. Jusqu'à ce qu'un terrible incendie vienne tout raser en 1755. Partis en fumée, le dépôt et les réserves pour les mois à venir ! En fumée aussi, l'apothicairerie et tous les médicaments et instruments de chirurgie ! Ne subsiste du monastère que les murs de pierres calcinées et le cimetière des religieuses.

L'incendie avait éclaté pendant l'heure du dîner. Les cris d'alerte avaient ameuté toute la ville. La population avait formé des chaînes humaines depuis la rivière, mais aussi à partir des citernes des casernes d'en face. On charriait ainsi, jusqu'aux bâtiments en flammes, des centaines de seaux d'eau. En vain. Le brasier était intense et s'était propagé à toutes les constructions de la propriété ainsi qu'aux toitures des casernes et à cinq maisons avoisinantes. En moins de deux heures, tout avait été consumé. Heureusement, à la grâce de Dieu, on avait réussi à sauver le tabernacle, les châsses des martyrs[1], le grand crucifix du chœur, ainsi que quelques autres objets sacrés. Une seule religieuse endormie dans sa chambre a péri lors de cette tragédie.

Ce n'est que deux années plus tard que l'on apprit que le feu avait été mis au toit de la grange de la propriété par deux matelots français mécontents des soins reçus à l'hôpital. Condamnés à la peine capitale pour un meurtre commis après leur retour en France,

---

1. Une châsse est un coffre qui sert à conserver les reliques d'un saint. Celui dont il est question conservait les dépouilles des pères jésuites Jean de Brébeuf et Gabriel Lalemant, massacrés par les Iroquois alors qu'ils oeuvraient à l'évangélisation des Hurons. Ils ont été canonisés (créés saints) en 1930 par le pape Pie XI.

l'un d'eux, pris de remords, a avoué sur l'échafaud avoir mis le feu à l'Hôtel-Dieu de Québec avec des couvertures enduites de goudron et de souffre.

Émeline était encore petite quand la tragédie est survenue, mais elle se souvient du ciel qui avait pris les couleurs d'un coucher de soleil, de la forte odeur de fumée et de sa mère qui n'arrêtait pas de pleurer et de prier pour la clémence de Dieu à l'égard de ces bonnes dames charitables. Cela avait été une épreuve terrible pour la communauté religieuse, mais aussi pour toute la population, qui voyait se réduire en cendres le seul hôpital entre les murs de leur ville. Il en fallait plus pour les décourager.

Des quêtes ont été organisées par le clergé et les habitants se sont montrés généreux en offrant aux sœurs augustines des chariots pleins de matériaux pour la reconstruction. Hormis le corps principal du monastère, qui abritait temporairement l'hôpital, l'étable, la grange, la porcherie et d'autres dépendances ont été reconstruites. Malheureusement, avec le début de la guerre en 1756, l'argent a manqué. Il restait encore l'église et l'édifice de l'hôpital proprement dit à faire renaître de leurs cendres. Les bombardements de Québec par les Anglais ont failli anéantir à nouveau le monastère. Mais le bon Dieu a eu pitié des Augustines. Les boulets, qui ont labouré les jardins et perdu les récoltes pour l'hiver, ont épargné l'essentiel des constructions. Le général Murray a vu à ce que soient effectuées les réparations les plus urgentes et a pourvu à la subsistance des Augustines en puisant à même les magasins du roi d'Angleterre.

S. M.

La petite histoire
de la pomme de terre

3000 ans avant Jésus-Christ

La *solanum tuberosum*, communément appelée « pomme de terre », est originaire de la Cordillère des Andes, en Amérique du Sud. Il y a environ 3000 ans, les Incas du Pérou et de la Bolivie la cultivaient sous le nom de « papa ». Séchée pour la conservation, elle était soit réduite en farine, soit consommée après avoir été cuite dans l'eau. La pomme de terre et le maïs formaient la base de l'alimentation des Incas.

Le 16e siècle

C'est vers 1570 que ce tubercule est découvert par les conquistadores espagnols, en même temps que le maïs, la tomate, le cacao, les courges, le coton et le tabac. D'abord introduite en Espagne sous le nom de « patata », la pomme de terre voyage tranquillement jusqu'à Rome, en Italie, où le pape Pie IV la prénomme « taratouffli », ce qui signifie « petite truffe ». La patata conquière ensuite l'Allemagne et le sud de la France. On la cultive principalement pour nourrir les pauvres, les malades dans les hôpitaux, et les animaux...

C'est l'aventurier sir Walter Raleigh qui, en 1585, présente la pomme de terre aux Anglais. Les Irlandais et les Écossais lui font graduellement une place dans leur menu.

Le 18e siècle

En 1719, des colons irlandais seront les premiers à en faire la culture en Amérique du Nord, à Londonderry (Nouvelle-Angleterre). Si les Irlandais, les Allemands, les Polonais et les Russes la consomment alors sans répugnance, les Français du nord hésitent encore à croquer dans ce nutritif tubercule. La *solanum tuberosum* fait partie de la même famille que la belladone et la mandragore, deux plantes connues pour leur haute toxicité et leurs propriétés hallucinogènes, qui en ont fait des ingrédients de choix dans les potions mortelles des sorcières. Il n'en faut pas plus pour faire de madame pomme de terre une victime des superstitions. On la soupçonne de provoquer la lèpre et on raconte que les femmes enceintes qui en mangent donneront naissance à un bébé à grosse tête. Considérée par plusieurs comme un aliment du diable, on préfère l'offrir en nourriture au bétail.

C'est grâce à Antoine-Augustin Parmentier, pharmacien aux armées françaises, que la pomme de terre doit sa percée en France. Pendant la guerre de Sept ans, captif dans une prison de Prusse[1], monsieur Parmentier a l'occasion d'apprécier les qualités nutritives de la pomme de terre, principal aliment servi aux prisonniers. Lorsque, quelques années plus tard, une sévère disette ravage la France, monsieur Parmentier fait valoir les vertus de cet aliment injustement boudé. Pour amener la population à accepter enfin de lui goûter, il emploie un ingénieux et désormais célèbre subterfuge : il obtient la permission du roi de faire cultiver des champs de pommes de terre et poste des gardes aux quatre coins. Croyant qu'il s'agit d'une denrée rare et réservée à l'élite de la société, les habitants trompent la surveillance, délibérément relâchée des soldats, et dérobent de précieux tubercules. En 1785, un fastueux repas donné en l'honneur du roi Louis XVI et de la reine Marie-Antoinette, dont le menu est composé uniquement de plats à base de pomme de terre, donne définitivement ses lettres de noblesse au tubercule, qui trouve enfin sa place dans les marmites des Français.

La pomme de terre est timidement introduite dans le menu des Canadiens après la conquête anglaise en 1759, puis elle finit d'être popularisée avec l'émigration massive des Irlandais.

---

1. La Prusse est un ancien état d'Europe qui est depuis 1935 inclus dans les territoires de la Pologne et de l'Allemagne.

Le 19e siècle

Au milieu du dix-neuvième siècle, en Irlande, une attaque des plants de pommes de terre par le mildiou[2] provoque deux terribles grandes famines consécutives qui entraînent dans la mort plus d'un million de personnes, pour qui la pomme de terre était devenue le principal aliment de subsistance. Cette catastrophe force l'émigration de centaines de milliers de pauvres gens vers le Canada et les États-Unis.

* * *

Aujourd'hui, après le blé, le riz et le maïs, avec ses 300 millions de tonnes de production annuelle, la pomme de terre est le quatrième aliment en importance dans le monde. On la consomme en potage, en salade, en purée, au four, sautées et frites. On en fait même des friandises. Qui n'a jamais mangé de ces délicieux bonbons aux patates que fabriquaient nos grands-mères? (Si c'est votre cas, dépêchez-vous d'en préparer en suivant bien la recette de la page 271.) Qui peut résister à un sac de croustilles? Il va sans dire, la pomme de terre est là pour rester.

S. M.

---

2. Champignon parasite qui provoque une moisissure blanche sur les feuilles et fait pourrir les pommes de terre.

Bonbons aux patates

une recette

Ingrédients

Une pomme de terre bouillie, sans sel
Trois à quatre tasses de sucre à glacer
Une cuillère à thé d'essence de vanille
Colorant végétal (facultatif)
Noix de coco râpé (facultatif)
Garniture : beurre d'arachide, noix hachées ou chocolat fondu

Préparation

Écraser la pomme de terre en purée.

Ajouter une cuillère à thé d'essence de vanille.

Ajouter assez de sucre à glacer pour donner au mélange la consistance d'une pâte à tarte.

On peut ajouter à cette pâte de la noix de coco râpé et/ou du colorant.

Abaisser la pâte de la même façon que s'il sagissait d'une pâte à tarte et la tartiner généreusement avec la garniture choisie (on peut mélanger toutes les garnitures proposées).

Rouler la pâte et la ranger au réfrigérateur au moins une heure. La couper ensuite en rondelles de un ou deux centimètres d'épaisseur.

Conserver au frais.

Sonia Marmen
Écrivaine

Sonia Marmen est née de parents québécois en 1962 à Oakville, en banlieue de Toronto. Après avoir déménagé à Asbestos, en Estrie, à Aylmer, en Outaouais, puis à Sydney, en Nouvelle-Écosse, c'est à Sorel qu'elle finit de grandir sagement. Elle choisit comme profession la denturologie, qu'elle pratiquera pendant quinze années, confortablement installée avec mari et enfants dans une petite vie sans histoires… apparentes, cela va sans dire. Car des histoires, elle en invente suffisamment pour garnir une bibliothèque imaginaire avant d'oser pousser la porte du monde divertissant de l'écriture. Depuis toujours, sa nature autodidacte[1] l'incite à explorer tout ce qui pique sa curiosité. Elle développe rapidement une passion pour l'histoire et Clio[2] s'impose comme sa muse. En moins de deux ans, elle publie aux Éditions JCL une saga de quatre romans, *Cœur de Gaël*, distribuée partout dans la

---

1. Elle préfère s'instruire elle-même, sans professeur.
2. Muse de la Poésie épique et de l'Histoire.

francophonie et traduite en allemand. Elle conquiert de nouveau le cœur de ses lecteurs en 2007 avec *La fille du pasteur Cullen*. Et elle n'a nullement l'intention de s'arrêter là…

S. M.

Sonia Marmen

Table des matières

Le collection GAZOLINE encourage les auteurs à s'adresser très librement aux jeunes lecteurs. C'est pourquoi le style, le niveau de difficulté et le nombre de pages peuvent varier d'un roman à l'autre :

initiation au roman

lecteur expérimenté

lecteur audacieux

leseditionsdelabagnole.com

CET OUVRAGE A ÉTÉ ACHEVÉ D'IMPRIMER
EN OCTOBRE 2009
SUR LES PRESSES DE IMPRIMERIE LEBONFON INC.
À VAL-D'OR, QUÉBEC
SUR PAPIER ENVIRO 100 % RECYCLÉ